LA DYNASTIE

TUDOR

Les Éditeurs réunis bénéficient du soutien financier de la SODEC et du Programme de crédit d'impôt du gouvernement du Québec.

Nous remercions le Conseil des Arts du Canada de l'aide accordée à notre programme de publication.

Nous reconnaissons l'aide financière du gouvernement du Canada par l'entremise du Fonds du livre du Canada pour nos activités d'édition.

Édition :
LES ÉDITEURS RÉUNIS
www.lesediteursreunis.com

Distribution au Canada :
PROLOGUE
www.prologue.ca

Distribution en Europe :
DNM
www.librairieduquebec.fr

 *Suivez Les Éditeurs réunis sur Facebook.*

Imprimé au Canada

Dépôt légal : 2011
Bibliothèque et Archives nationales du Québec
Bibliothèque nationale du Canada
Bibliothèque nationale de France

SAMUEL CLEMENS

LA DYNASTIE

TUDOR

Édouard et Tom, le prince et le pauvre

Roman historique

Adapté par Vivianne Moreau

LER
LES ÉDITEURS RÉUNIS

Déjà parus :

LA DYNASTIE TUDOR : La dernière reine d'Henri VIII
De Louise Mühlbach

LA DYNASTIE TUDOR : Anne Boleyn, la folle obsession du roi
De Paul De Musset

LA DYNASTIE TUDOR : Princesse Marie, la sœur du monarque
De Charles Major

CHAPITRE I

Dans l'antique cité de Londres, un certain jour d'automne du milieu du XVIe siècle, un garçon naquit dans une famille pauvre du nom de Canty, famille qui n'avait nul besoin de sa présence. Le même jour, dans une famille riche du nom de Tudor et qui avait de lui le plus grand besoin, naquit un autre jeune Anglais. Le pays tout entier le réclamait d'ailleurs avec impatience. L'Angleterre avait eu de lui un désir et une espérance tels, l'avait tant attendu, avait si fort prié Dieu pour l'avoir, que, maintenant qu'il était né, le peuple se montra presque fou de joie.

On embrassait en pleurant des gens qu'on connaissait à peine. Tout le monde chôma, petits et grands, riches et pauvres ; on festoya, chanta, dansa, déborda de gentillesse pendant des jours et des nuits d'affilée. Le jour, Londres offrait un spectacle remarquable, avec ses gaies bannières qui dansaient sur tous les balcons et sur tous les toits, et ses splendides parades sur l'eau. La nuit n'était pas moins éclatante avec ses feux de joie à tous les coins de rues, et les réjouissances de fêtards qui s'y regroupaient. Il n'était question dans toute l'Angleterre que de ce nouveau-né, Édouard Tudor, prince de Galles, qui, dans ses langes de soie et de satin, reposait inconscient des réactions provoquées par sa venue, inconscient du haut rang des seigneurs et des dames qui prenaient soin de lui, sans qu'il en eût souci.

Mais on ne parlait pas de l'autre bébé, Tom Canty aux langes troués, sinon dans la pauvre famille dont il était venu alourdir le fardeau.

CHAPITRE II

Quelques années passèrent...

Londres, vieille de mille cinq cents ans, était une grande ville, du moins pour cette époque. Elle abritait cent mille habitants – le double de ce chiffre selon certains. Les rues étaient étroites, sinueuses, sales, surtout là où vivait Tom Canty, dans des quartiers proches du pont de Londres. Les maisons étaient en bois; leur deuxième étage s'avançait au-dessus du premier, et le troisième plantait ses coudes sur le deuxième. D'année en année, elles gagnaient en hauteur et s'étendaient en largeur. Leur ossature était constituée de fortes poutres entrecroisées, avec du matériau solide dans les interstices, le tout recouvert de plâtre. Les poutres étaient peintes en rouge, en bleu ou en noir, selon les goûts du propriétaire, et cela donnait aux maisons un air très pittoresque. Les fenêtres, étroites, avaient de petits carreaux en losange, et s'ouvraient vers l'extérieur, sur des gonds, comme des portes.

La maison où vivait le père de Tom se dressait dans une sorte de cul-de-sac appelée Offal Court, à la sortie de Pudding Lane. Elle était exiguë, vétuste et misérable, mais emplie à ras bords de familles pauvres et loqueteuses. La tribu Canty s'entassait dans une chambre au troisième

9

étage. La mère et le père disposaient d'une sorte de sommier dans un coin, mais Tom, sa grand-mère, ses sœurs Bet et Nan, ne manquaient pas de place : ils bénéficiaient du plancher tout entier et pouvaient dormir où bon leur semblait. Il y avait bien les débris d'une ou deux couvertures, et quelques amas d'une paille usagée et crasseuse, mais cela ne pouvait se qualifier de lits ; un coup de pied rejetait le tout en tas dans un coin le matin, et le soir on puisait dans le tas selon le besoin du moment.

Bet et Nan, âgées de quinze ans, étaient jumelles. C'étaient de bonnes filles, pas très propres, vêtues de haillons, profondément ignorantes. Leur mère, pareil. Mais le père et la grand-mère formaient une paire diabolique. Ils se soûlaient à la moindre occasion, se battaient – entre eux ou contre tout ce qui se présentait –, juraient et sacraient continuellement, soûls ou non. John Canty volait, sa mère mendiait. Ils faisaient mendier les enfants, mais n'avaient pas réussi à les amener à voler. Parmi la racaille qui logeait là, et n'appartenant pas à cette racaille, il y avait un bon vieux prêtre que le roi avait expulsé de chez lui avec une rente modique et qui, prenant les enfants à part, leur donnait en secret quelque apprentissage des bonnes manières. Le père André apprit à Tom, en plus des rudiments de latin, à lire, à écrire, et il aurait bien enseigné la même chose aux filles si elles n'avaient pas reculé, craignant les moqueries de leurs camarades devant un savoir-faire si inhabituel.

Tout Offal Court bourdonnait sur le même modèle que la tribu Canty. Soûleries, rébellions et braillements étaient la règle en ce lieu, chaque nuit, et d'un bout à l'autre de celle-ci. Les crânes fracassés y étaient aussi courants que la faim. Cependant, le petit Tom n'était pas malheureux. Sa vie était difficile, mais il ne le savait pas. C'était la vie que connaissait tout garçon d'Offal Court, et il supposait donc que cela était normal et que tout allait bien. Quand il revenait le soir les mains vides, il savait que tout d'abord son père jurerait sur lui et le frapperait, et qu'après lui la terrifiante grand-mère en ferait autant et même le double. Sa mère, qui elle-même mourait de faim, se glisserait au cours de la nuit vers lui en cachette, lui apportant tout ce qu'elle aurait réussi à mettre de côté de misérables miettes ou bouts de croûte, en se privant elle-même, et malgré le fait que, souvent, elle était prise sur le fait puis châtiée et battue pour cette traîtrise par son époux.

Non, la vie de Tom n'était pas si mauvaise, en été surtout. Il mendiait juste le minimum nécessaire – car les lois contre la mendicité étaient sévères, et les pénalités lourdes –, si bien qu'il lui restait pas mal de temps pour écouter les adorables vieux contes et légendes du père André : géants, fées, nains, génies, châteaux enchantés, fabuleux rois et princes. La nuit, sa tête s'emplissait de merveilles. Étendu dans le noir sur sa paille rare et qui l'écorchait, épuisé, affamé, lacéré de coups, il laissait courir son imagination et oubliait bientôt douleurs et peines en se figurant délicieusement la vie pleine de gâteries d'un prince adulé dans un royal palais.

Un désir finit par venir le hanter nuit et jour, celui de voir, de ses propres yeux, un vrai prince. Il en parla un jour à l'un de ses compagnons d'Offal Court, mais ils se moquèrent de lui et le raillèrent sans pitié, si bien que dorénavant il se contenta de garder ses rêves pour lui-même.

Il lisait beaucoup les vieux livres de l'abbé, lui demandait des explications et des commentaires. Ses rêves, ses lectures le firent évoluer peu à peu. Les créatures qui peuplaient ses songes étaient si raffinées qu'il en vint à rougir de ses guenilles et de sa crasse, à désirer être mis plus proprement. Il continuait à s'ébattre dans la boue comme auparavant, et à y prendre plaisir, mais au lieu de tout éclabousser autour de lui dans la Tamise dans le seul but de s'amuser, il commença à apprécier les nettoyages et les débarbouillages que cela lui permettait.

À ses yeux, il se passait toujours quelque chose du côté du Maypole, de Cheapside et des foires. Il arrivait parfois qu'en même temps que tous les autres Londoniens il ait la chance d'assister à quelque parade militaire lorsqu'une infortunée célébrité était conduite à la prison de la tour de Londres, que ce soit à pied ou en bateau. Un jour d'été il vit la malheureuse Anne Askew monter sur le bûcher à Smithfield; il entrevit aussi trois autres hommes qui furent attachés à un poteau avant d'être brûlés vifs; il entendit un ex-évêque les régaler d'un sermon qui le laissa, quant à lui, indifférent. Oui, la vie de Tom était assez variée et assez plaisante, tout compte fait.

À la longue, ces lectures et ces rêveries de Tom concernant la vie princière finirent par agir sur lui si fortement qu'il en vint, sans en avoir conscience, à se comporter en prince. Son langage et ses manières prirent un tour singulièrement cérémonieux, et provoquèrent admiration et amusement autour de lui. L'influence qu'il exerçait sur les autres enfants s'accrut de jour en jour; il en arriva à être considéré avec une sorte de respect terrifié, comme s'il était un être supérieur. Il semblait savoir tant de choses! Ses actions, ses paroles, étaient si surprenants! Et avec cela, quelle profondeur! quelle sagesse! Ses observations, ses prouesses, tout ce qui venait de lui, les enfants le rapportaient à leurs aînés. Ceux-ci, à leur tour, en venaient à parler de lui et à le considérer comme une créature très douée et quasiment extraordinaire. De adultes perplexes venaient lui demander conseil et souvent étaient étonnés de l'astuce et de l'intelligence de ses avis. En fait, il était devenu un personnage aux yeux de tous ceux qui le connaissaient, sa famille exceptée: cette dernière ne voyait en lui rien de spécial.

Secrètement, après quelque temps, Tom se créa une cour princière! Le prince, c'était lui; ses amis les plus proches étaient des gardes, des chambellans, des écuyers, des seigneurs et des dames de la cour, et la famille royale. Chaque jour, ce «prince» était accueilli en grande cérémonie, empruntée à ses romantiques lectures. Chaque jour, les hautes affaires du royaume imaginaire étaient débattues dans le royal conseil, et chaque jour Sa Majesté prétendue émettait des décrets destinés à ses armées, flottes et commandements fictifs.

Après cela il repartait dans ses haillons, quémandait quelques pièces, avalait sa misérable pitance, recevait son lot de tapes et d'injures, puis s'étendait sur la poignée de paille qui constituait son lit, avant de se replonger dans ses rêves.

Et cependant, le désir qu'il éprouvait de voir, ne serait-ce qu'une fois, un prince véritable, en chair et en os, ne cessait de grandir en lui, de jour en jour, de semaine en semaine, jusqu'à ce qu'à la fin ce désir eût absorbé tous les autres et fût devenu la seule passion de son existence.

Un jour de janvier, il fit sa tournée habituelle pour demander l'aumône. Il arpenta, découragé, le quartier qui s'étend entre Mincing Lane et Little East Cheap, des heures durant, pieds nus, transi de froid, contemplant les vitrines des rôtisseries, soupirant après les tourtes farcies et autres créations stupéfiantes qui s'y déployaient – car à ses yeux c'étaient là des nourritures divines et destinées aux anges, pour autant du moins qu'il pouvait en juger à l'odeur (jamais il n'avait eu la bonne fortune d'y goûter lui-même). Une pluie glacée tombait, l'atmosphère était ténébreuse, c'était une triste journée. Le soir, Tom rentra chez lui trempé jusqu'aux os, si épuisé, si affamé, qu'il ne fut pas possible à son père et à sa grand mère en voyant son état de ne pas s'en émouvoir (à leur manière). Il fut moins battu que d'ordinaire et ils le mirent au lit. La douleur, la faim, le vacarme d'injures et de bagarres qui régnait dans l'immeuble, le tinrent longtemps éveillé, mais pour finir sa pensée trouva un refuge dans de lointaines et romanesques contrées, et il s'endormit en compagnie d'enfants princiers couverts d'or et de pierreries qui vivaient dans des palais aux vastes dimensions et avaient des serviteurs s'inclinant devant eux ou se précipitant pour exécuter leurs ordres. Sur quoi, comme d'habitude, il rêva que lui-même était fils de princes.

Tout au long de la nuit les gloires de sa condition royale étincelèrent devant lui. Il évolua parmi des seigneurs et des grandes dames, dans un rayonnement de lumière, respirant des parfums, buvant au son d'une musique délicieuse, répondant à la docilité pleine de révérence de la foule qui s'écartait pour lui faire place, ici par un sourire, là par un signe de tête princier.

Et quand le lendemain il s'éveilla et vit la misère qui régnait autour de lui, il eut horreur de la réalité, de son entourage, de sa saleté. L'amertume l'envahit, son cœur se brisa, et il se mit à pleurer.

CHAPITRE III

Tom se leva le ventre creux et se mit à déambuler, toujours affamé mais l'esprit occupé des vaporeuses splendeurs de ses rêves nocturnes. Il erra çà et là dans la ville, sans prendre garde à la direction qu'il prenait ni à ce qui se passait autour de lui. Les gens le bousculaient et lui parlaient parfois rudement, mais lui, perdu dans ses pensées, poursuivait machinalement sa flânerie. De fil en aiguille, il finit par se retrouver à Temple Bar; jamais il ne s'était aventuré aussi loin de ce côté. Il s'arrêta, hésitant, puis se laissa absorber de nouveau par son imagination et sortit de l'enceinte de Londres. Le Strand n'était plus, en ce temps-là, une route rurale, mais avait la prétention d'être une rue, aux habitations cependant assez rares. En effet, tandis que la rangée de maisons était compacte d'un côté de la route, de l'autre il n'y avait que quelques constructions vastes qui étaient des palais de personnes riches et nobles et dont les magnifiques terrains s'étendaient jusqu'au fleuve, terrains aujourd'hui étroitement enserrés de sévères murailles de brique et de pierre.

Tom découvrit à la fin Charing Village et marqua un temps d'arrêt devant la splendide croix plantée en cet endroit par un roi en deuil des temps anciens, puis il s'engagea nonchalamment sur un chemin tranquille et agréable, dépassa le majestueux palais du grand cardinal et se dirigea vers un autre palais bien plus formidable et majestueux que le précédent: Westminster. Tom, ravi, émerveillé, contempla les vastes fondations, les ailes qui se déployaient largement, les austères fortifications, l'immense entrée de pierre aux grilles dorées que gardaient, colossaux, des lions de granit, et tous les autres signes et symboles anglais de la royauté. Ce qu'il désirait de toute son âme allait-il enfin se réaliser? Face à lui, c'était certain, se dressait le palais d'un roi. Ne pouvait-il espérer maintenant voir un prince... un prince véritable, pour peu que le Ciel le permît?

De part et d'autre de la grille dorée se dressait une statue vivante, c'est-à-dire un homme en armes, très droit, revêtu de pied en cap d'une étincelante armure d'acier. À distance respectueuse, une foule constituée de gens de la campagne et de gens de la ville guettait la plus petite occasion d'apercevoir un instant qui que ce fût de royal. De splendides carrosses, renfermant de splendides voyageurs et déployant de splendides laquais, arrivaient et repartaient par diverses nobles ouvertures qui perçaient la royale enceinte.

Le misérable petit Tom, en haillons, s'approcha, et dépassa timidement, avec lenteur, les sentinelles. Son cœur battait et son espoir grandissait quand tout à coup il aperçut, à travers la grille dorée, un spectacle qui le fit presque crier de joie. Il vit, à l'intérieur, un garçon d'allure plaisante, bronzé et tanné par les sports et la gymnastique, dont les vêtements n'étaient que soie, satin, joyaux scintillants. Il portait au côté une courte épée ornée de pierres précieuses et une dague; aux pieds des bottes de daim à talons rouges; sur la tête un couvre-chef écarlate surmonté de longues plumes maintenues en place à l'aide d'une escarboucle. Plusieurs seigneurs luxueusement vêtus l'assistaient… certainement ses domestiques. Oh! c'était un prince… un prince, un prince vivant, un vrai prince… sans l'ombre d'un doute. La prière qu'avait formée le cœur du petit pauvre était enfin exaucée.

Le souffle de Tom se fit court tant il était excité, ses yeux s'agrandirent, comblés et ravis. Il n'eut plus qu'un désir: se rapprocher du prince, le voir pour de bon, le dévorer du regard. Sans réfléchir il colla son visage contre la grille. Tout de suite un des soldats l'arracha de là et l'envoya valser parmi la foule de paysans et d'oisifs en lui crachant à la figure :

— Ôte-toi de là, petit impertinent !

La foule ricana, mais le jeune prince bondit vers la grille, tout rougissant, les yeux étincelants de colère, et s'écria :

— Insolent ! Oser maltraiter ainsi en ma présence ce pauvre petit ! Je t'interdis de bousculer de cette façon un sujet – même humble et pauvre – du roi mon père ! Qu'on ouvre la grille et qu'on le fasse entrer !

Vous auriez dû voir les gens du peuple lancer leurs chapeaux en l'air. Vous auriez dû les entendre pousser des hourras, et crier :

— Longue vie au prince de Galles !

Les soldats s'exécutèrent en toute hâte, ouvrirent la grille et présentèrent vivement les armes tandis que le petit pauvre passait devant eux, ses haillons flottant au vent, pour rejoindre la main tendue du prince du palais de Westminster.

Édouard Tudor dit:

— Tu parais épuisé et affamé. On t'a maltraité… Suis-moi.

Une demi-douzaine de courtisans bondirent pour inter-venir. Mais un royal mouvement de la main droite les écarta et ils s'arrêtèrent net et se figèrent comme autant de statues. Édouard conduisit Tom à travers le palais jusqu'à une pièce richement meublée qu'il appela son cabinet. Sur son ordre, fut apporté un repas tel que Tom n'en avait jamais vu sinon dans les livres. Avec une délica-tesse et une éducation toutes princières le prince renvoya les domestiques, de façon à épargner à son humble invité leurs silencieuses critiques puis il s'assit près de lui et questionna Tom pendant que celui-ci mangeait avidement.

— Quel est ton nom, mon garçon?

— Tom Canty, sire, pour vous servir.

— Drôle de nom. Où vis-tu?

— Dans la cité, sire. Offal Court, au bout de Pudding Lane.

— Offal Court! Encore un drôle de nom, vraiment. As-tu tes parents?

— Oui, sire, et une grand-mère aussi, mais je ne l'aime pas beaucoup, Dieu me pardonne. J'ai aussi deux sœurs, des jumelles, Nan et Bet.

— Ta grand-mère n'est sans doute pas trop gentille avec toi, j'imagine.

— Avec les autres non plus, sauf le respect dû à votre seigneurie. Son cœur est malfaisant, et ses actions malignes du matin au soir.

— Te maltraite-t-elle?

— Il arrive qu'elle s'abstienne, lorsqu'elle dort ou est ivre morte, mais dès qu'elle reprend ses esprits elle me règle mon compte, et alors, elle n'y va pas de main morte.

— Comment? Elle te bat?

— Ma foi oui, sauf votre respect, sire.

— Elle *te bat*! Toi, si petit, si frêle. Écoute-moi bien: avant que la nuit vienne elle se retrouvera dans la tour de Londres. Le roi mon père…

— Vous oubliez en vérité, sire, son humble rang. La Tour est réservée pour des sujets moins misérables que moi.

— C'est vrai, certes, je n'y avais pas pensé. Je vais réfléchir à son châtiment. Ton père est-il bon avec toi?

— Pas plus que la mémé, sire.

— Tous les pères se ressemblent, dirait-on. Le mien n'est pas un agneau non plus. Il a la main dure, quoique moi il m'épargne. Mais sa langue, elle, ne m'épargne pas toujours. Et ta mère, comment est-elle avec toi?

— Elle est bonne, sire, elle ne me donne aucune espèce de chagrin ni de peine. Nan et Bet non plus.

— Quel âge ont-elles?

— Quinze ans, sauf votre respect, sire.

— Princesse Élisabeth, ma sœur, a quatorze ans. Lady Jane Grey, ma cousine, a le même âge que moi, elle est gentille et gracieuse. Mais mon autre sœur Lady Marie, avec sa mine renfrognée et... Dis-moi: tes sœurs défendent-elles à leurs domestiques de sourire, parce que ce péché causerait la perdition de leur âme?

— Elles, avoir des domestiques! Oh, croyez-vous, sire, qu'on les sert?

Le jeune prince contempla avec gravité le jeune pauvre pendant quelque temps, puis il dit:

— Pourquoi pas? Dis-le-moi, je te prie! Qui les aide à se dévêtir le soir? Et à s'habiller quand elles se lèvent?

— Personne, sire. Faudrait-il qu'une jeune fille quitte sa robe et dorme nue comme une bête?

— *Sa* robe! N'en ont-elles qu'une seule?

— Ah, mon bon seigneur, qu'auraient-elles besoin de plusieurs robes? Elles n'ont pas plus d'un corps chacune à habiller, assurément.

— Voilà une réflexion d'une profondeur inouïe! Pardon, je n'avais pas l'intention de me moquer de toi. Mais ta gentille Nan et ta chère Beth auront tout ce qu'il leur faudra de vêtements et de serviteurs; l'officier de ma garde-robe y veillera. Non, ne me remercie pas, ce n'est rien. Ton langage est distingué, tu as des manières aisées et gracieuses. As-tu reçu quelque éducation?

— Je ne sais pas, sire. L'abbé qu'on nomme le père André a été assez bon pour m'apprendre des choses de ses livres.

— Connais-tu le latin?

— Un tout petit peu, sire.

— Il faut l'apprendre, mon cher. Crois-moi, ce n'est difficile qu'au début. Le grec est pire, mais ces langues, et les autres langues d'ailleurs, sont faciles pour Élisabeth et pour ma cousine. Tu devrais les entendre, ces demoiselles! Mais parle-moi de cet Offal Court où tu demeures. Est-ce qu'on s'y amuse?

— Vraiment oui, sire, sauf votre respect, excepté quand on a faim. On peut y voir des spectacles, dont ceux avec Guignol... Il y a des singes aussi... oh, sont-elles drôles ces créatures-là, elles sont si bien dressées!... Et il y a du théâtre où les personnes qui jouent poussent des vrais cris et se battent pour de bon jusqu'à ce que tous se massacrent, et c'est si beau à voir, et pour seulement un sou l'entrée... encore que le sou, sauf votre respect, il soit parfois difficile de l'avoir.

— Raconte, raconte encore.

— Nous autres d'Offal Court, nous nous battons à coups de bâtons, comme le font de temps en temps les apprentis.

Les yeux du prince étaient grand ouverts. Il déclara :

— Vraiment ? Tout cela paraît très amusant. Raconte encore.

— Nous faisons la course, sire, pour voir qui d'entre nous sera le plus rapide.

— Voilà qui me plairait aussi. Continue.

— En été, sire, nous nous baignons, nous nageons dans les canaux et dans la Tamise, on essaie de faire sombrer son voisin, on l'éclabousse, on plonge, on crie, on dégringole, on fait des culbutes...

— Je donnerais bien le royaume de mon père pour connaître cela au moins une fois! Je t'en prie, continue.

— Nous dansons en chantant autour du mât de cocagne de Cheapside. Nous jouons dans le sable, on fait de gros tas et on s'y ensevelit, parfois nous confectionnons des gâteaux avec de la boue. Oh! la boue! Rien sur terre ne lui est comparable! Nous nous y vautrons quasiment, sire, sauf le respect dû à Votre Seigneurie.

— Oh! je t'en supplie ne dis rien de plus, tu me fais venir l'eau à la bouche! Si je pouvais seulement m'habiller comme toi, me mettre pieds nus et aller m'amuser dans la boue une fois, juste une fois, avec personne pour me gronder ou me l'interdire, il me semble que je donnerais bien pour cela ma couronne!

— Moi si je pouvais être habillé comme vous une fois, sire, adorable sire... rien qu'une fois...

— Oh, tu aimerais cela? Eh bien! qu'il en soit ainsi! Donne-moi ces guenilles, prends ces habits de soie. C'est un bonheur qui ne durera pas longtemps, mais il aura au moins existé. Faisons-le pendant que nous le pouvons, saisissons l'aubaine, nous les échangerons à nouveau si un un importun se présente.

Quelques minutes après, le jeune prince de Galles était affublé des pièces et des morceaux qui avaient flotté précédemment sur le corps de Tom, et le jeune prince de la Misère se retrouva, comme par magie, revêtu du voyant plumage de la royauté. Tous deux allèrent se planter l'un près de l'autre devant un grand miroir. Quelle fut leur surprise lorsqu'ils virent que rien n'avait changé depuis tout à l'heure! Ils se contemplèrent, regardèrent le miroir, se contemplèrent encore. Enfin, le jeune prince, troublé, demanda:

— Qu'en penses-tu?

— Ah, veuille Votre Seigneurie ne pas exiger que je réponde. Ce n'est pas à quelqu'un de mon rang de dire ce que je pense.

— Alors c'est *moi* qui le dirai. Tu as même chevelure, mêmes yeux, même voix, mêmes manières, même silhouette, même taille, même visage, même allure, que moi. Serions-nous nus que personne ne pourrait dire qui de nous deux est toi et qui des deux est le prince de Galles. Maintenant que je suis habillé comme tu l'étais, j'ai l'impression de ressentir d'autant plus ce que tu as éprouvé quand cette brute de soldat… Attends, c'est un bleu que tu as sur ta main?

— Oui, mais ce n'est rien, Votre Seigneurie sait bien que ce pauvre garde…

— Tais-toi! C'était un acte honteux et cruel, s'écria le jeune prince en frappant le sol de son pied nu.

— Si le roi… Ne bouge pas d'un pouce jusqu'à mon retour! C'est un ordre!

En un tournemain, il fit disparaître un objet de première importance qui se trouvait sur la table en le cachant dans un recoin et il s'élança dans le palais, ses haillons flottant au vent, le visage rouge, les yeux en feu. Il comptait bien régler son compte à cet abruti qui avait maltraité ce pauvre enfant. Il n'eut pas plus tôt atteint la grille qu'il empoigna les barreaux et les secoua, criant:

— Ouvrez! Ouvrez la grille!

Le garde qui avait maltraité Tom obéit aussitôt, content de débarrasser enfin le palais de ce visiteur importun. Le prince – méconnaissable dans son déguisement – s'avança vers le soldat, à demi suffoqué par une royale rage, prêt à tancer le lourdaud et à lui signifier son congé. Mais le garde lui asséna un coup de poing sur l'oreille qui l'envoya rouler à trois pas et lui cria:

— Tiens, prends ça, sale mendiant, que cela t'apprenne à me faire mal paraître devant Son Altesse Royale!

La foule éclata de rire. Le prince se releva plein de boue et en fureur. Il fit face au garde tout en menaçant les sentinelles d'un geste superbe, puis cracha:

— Je suis le prince de Galles, ma personne est sacrée! Pour avoir porté la main sur moi, tu seras pendu!

Le garde leva sa hallebarde dans un simulacre de présentation d'arme et dit d'un ton moqueur:

— Je salue Votre Altesse Royale.

Puis, avec colère:

— Décampe, crapaud!

Sur quoi la foule hilare s'attroupa autour du malheureux jeune prince et l'accompagna en beuglant jusqu'à la route. On se mit à pourchasser l'enfant en hurlant à tue-tête:

— Place à son Altesse Royale! Place au prince de Galles!

CHAPITRE IV

Poursuivi et molesté pendant plus d'une heure, le jeune prince fut à la fin déserté par la cohue qui l'abandonna à lui même. Tant qu'il avait eu la force de s'opposer furieusement à la foule, de lui prodiguer de souveraines menaces et de prendre des airs de dignité pour donner des ordres qui faisaient rire, il les divertissait beaucoup. Mais quand la fatigue l'eut réduit au silence, il n'intéressa plus ses persécuteurs et ils partirent chercher des distractions ailleurs. Il regarda alors autour de lui sans pouvoir deviner où il se trouvait. Il était quelque part dans Londres, voilà tout ce qu'il en savait. Il continua à progresser sans but. Les maisons s'espacèrent, les passants se firent rares. Il baigna ses pieds ensanglantés dans le ruisseau qui coulait alors à l'endroit où est aujourd'hui la rue Farringdon et il s'y reposa quelque temps, puis reprit sa route et finit par déboucher sur un vaste terrain semé d'un petit nombre d'habitations et où s'élevait une église d'une grande beauté. Il reconnut cette église. Il y avait des échafaudages partout et des nuées d'ouvriers, car ce bâtiment était en pleine réfection. Le prince reprit aussitôt courage, il vit venir la fin de ses ennuis. Il pensa: «C'est cette ancienne église de Grey Friars que mon père a retirée aux moines afin d'en faire un asile pour héberger dorénavant des enfants pauvres et abandonnés, refuge qui a été rebaptisé église du Christ. Il est bien juste qu'ils accueillent le fils de celui qui s'est montré si généreux à leur égard... d'autant plus que ce fils est lui-même plus abandonné qu'aucun autre enfant présent ou à venir de ces parages.»

Il se trouva bientôt au sein d'une foule de garçons qui couraient, bondissaient, jouaient à la balle ou à saute-mouton ou s'adonnaient à toutes sortes d'exercices bruyants. Ils portaient de ces uniformes qui habillent les domestiques ou les apprentis : au sommet du crâne un chapeau noir et plat qui n'abritait guère, pas plus grand qu'une soucoupe, fort peu décoratif ; des cheveux ramenés en masse sur le front, coupés droit ; un col ecclésiastique ; une blouse bleue moulante, arrivant aux genoux ou plus bas encore, à manches longues ; une large ceinture rouge ; des bas d'un jaune criard, retenus par une jarretière au-dessus du genou ; des chaussures basses à grosses boucles de métal. Le tout donnait un effet assez laid.

Les garçons cessèrent de jouer et s'attroupèrent autour du prince qui dit, avec un air fort majestueux :

— Braves amis, allez dire à votre maître qu'Édouard, prince de Galles, désirerait lui parler.

Ses paroles déclenchèrent des huées. Un rustre cracha :

— Serais-tu le messager de Son Altesse, minable ?

Le prince rougit de colère et chercha de la main, sans la trouver, la garde de son épée. Il y eut une nouvelle explosion d'hilarité et un garçon s'écria :

— Vous avez vu ? Il croit avoir une épée... On dirait le prince en personne !

À ce trait d'esprit, les rires redoublèrent. Le malheureux Édouard se redressa avec dignité et déclara :

— Je suis effectivement le prince. Comment pouvez-vous me manquer ainsi de respect, vous qui profitez tous les jours de la bonté du roi, mon père ?

Cette réplique provoqua un redoublement de folle gaieté de la part des assistants. Le jeune homme qui avait parlé le premier cria à ses camarades :

— Hé, espèces de cochons, esclaves et bénéficiaires des royales largesses du père de Son Altesse, qu'avez-vous fait de vos bonnes manières ? Pliez le genou pour marquer votre respect face à ses allures princières et à ses royales guenilles.

Avec une joie débordante ils plièrent le genou comme un seul homme et affectèrent de présenter leurs hommages à leur victime. Le prince décocha un coup de pied à un garçon qui s'aventurait trop près de lui et cria d'un ton furibond :

— Prends déjà ça, et prends garde car demain je te ferai dresser un gibet !

Ah, mais ! là on ne plaisantait plus… Voilà qui allait trop loin. Les rires cessèrent aussitôt et firent place à la colère. Une douzaine de voix se firent entendre :

— Amenez-le ! À la rivière, à la rivière ! Où sont les chiens ? Hé, Lion ! Hé, Fangs !

Il s'ensuivit un spectacle jamais vu en Angleterre… la personne sacrée de l'héritier du trône fut empoignée par de rudes mains, battue par la plèbe et lancée vers les crocs des chiens.

À l'approche de la nuit, le prince se retrouva dans les tréfonds des quartiers qui environnaient la cité. Il était couvert d'ecchymoses, ses mains saignaient, ses haillons étaient souillés de boue. Il erra çà et là, de plus en plus égaré, si épuisé, si affaibli, qu'à peine pouvait-il poser un pied devant l'autre. Il n'osait plus questionner personne sachant d'avance qu'il n'obtiendrait pour réponse que des injures. Il continuait à marmotter pour lui-même:

— Offal Court: si j'arrive à trouver cette adresse avant que je tombe à bout de forces, je suis sauvé, car sa famille me ramènera au palais pour prouver que je ne suis pas l'un des leurs, mais le vrai prince, et je recouvrerai ce qui m'appartient.

Par moments son esprit revenait sur les traitements que ces grossiers garçons de l'église du Christ lui avaient fait subir et il se disait:

— Quand je serai roi, ils n'auront pas simplement abri et nourriture, mais aussi l'enseignement des livres. Un estomac plein ne suffit pas si l'esprit n'est pas nourri, non plus que le cœur. Je veux prendre garde à bien me souvenir de cela, afin que la leçon d'aujourd'hui ne soit pas perdue, entraînant les souffrances de mon peuple; car l'instruction adoucit les cœurs, entretient la douceur et la charité.

Les lumières s'allumaient, il se mit à pleuvoir, le vent se leva, et ce fut la nuit, le froid, les rafales. Le prince sans foyer, l'héritier sans abri du trône d'Angleterre, continuait à avancer et se trouvait entraîné de plus en plus profondément dans le labyrinthe de ruelles sordides où les essaims bourdonnants de la pauvreté et de la misère s'étaient tous rassemblés.

Tout à coup, un grand gaillard ivre le saisit au collet, disant :

— Encore dehors à cette heure-ci, et sans avoir rapporté un sou, je le parierais ! Si c'est le cas et si je ne brise pas tous les os de ton malingre petit corps, je ne m'appelle plus John Canty.

Le prince se tortilla pour se dégager, frotta distraitement son épaule meurtrie, et répondit avec vivacité :

— Oh, tu es son père, est-ce vrai ? Le ciel veuille dans sa grâce qu'il en soit ainsi... et que tu ailles le chercher et que tu me ramènes !

— *Son* père ? Je ne sais pas ce que tu veux dire... Ce que je sais c'est que je suis *ton* père, et tu vas bientôt savoir...

— Oh, je t'en prie, écoute-moi !... Je suis épuisé, je suis blessé, je n'en peux plus. Conduis-moi auprès du roi mon père, et il fera de toi un homme riche au-delà de tes rêves les plus fous. Crois-moi, bonhomme, crois-moi !... Je ne mens pas, je ne dis que la vérité !... Étends la main pour me sauver ! Je suis, pour de bon, le prince de Galles !

L'homme, stupéfait, toisa le garçon, hocha la tête et marmonna :

— Le voilà bon pour l'asile de Bedlam ! Il est fou !

Puis il le saisit encore au collet et dit, riant grossièrement et sacrant :

— Fou ou pas fou, moi et la Mémé Canty on va bientôt trouver où tes os te font mal, ou je ne suis plus un homme !

Sur ce, il entraîna le prince qui se débattait frénétiquement et disparut dans une cour, escorté par un auditoire enchanté et turbulent, toute une poignée de gamins et d'ivrognes.

CHAPITRE V

Tom Canty, resté seul dans le royal cabinet, mit à profit cette situation. Il se pavana devant le miroir et admira sa nouvelle tenue, puis il marcha et mima l'allure hautaine du prince, tout en continuant à observer ce que cela donnait dans la glace. Après quoi il tira sa magnifique épée, et s'inclina, baisant la lame, la mettant en travers de sa poitrine comme il avait vu un noble chevalier le faire quand il avait salué le lieutenant de la tour de Londres, cinq ou six semaines auparavant, avant de lui remettre les seigneurs de Norfolk et de Surrey pour qu'ils fussent conduits en prison. Il joua avec la dague ornée de pierreries suspendue devant sa cuisse ; il regarda de près les coûteuses et exquises décorations de la salle ; il s'assit dans les somptueux fauteuils l'un après l'autre et pensa à la fierté qu'il éprouverait si la bande d'Offal Court pouvait jeter là un coup d'œil ct voir sa haute position. Il se demanda s'il serait cru lorsqu'il leur raconterait sa merveilleuse histoire, ou s'ils hocheraient la tête et diraient que ses excès d'imagination avaient fini par emporter sa raison.

Au bout d'une demi-heure il prit tout à coup conscience que l'absence du prince se prolongeait. Aussitôt, un sentiment de solitude l'envahit. Très vite il se mit à écouter avec avidité, cessant de manipuler les babioles qui l'entouraient.

Il était gagné par une impression de malaise, qui devint de l'inquiétude, puis de l'affolement. Si quelqu'un devait entrer et le surprendre dans les habits du prince, et que le prince ne fût pas là pour expliquer la chose : ne pourraient-ils pas dans ce cas le pendre haut et court tout de suite et n'enquêter qu'après coup ? Il avait entendu dire que les grands de ce monde réagissent très vivement pour des vétilles. Ses craintes ne faisaient que croître ; tremblant, il ouvrit sans bruit la porte qui donnait sur l'antichambre, décidé à aller chercher le prince, et obtenir de celui-ci protection et libération. Six splendides seigneurs domestiques et deux pages de haut rang sautèrent sur leurs pieds et s'inclinèrent profondément devant lui. Il recula précipitamment et referma la porte, disant :

— Oh, ils se moquent de moi ! Ils vont me dénoncer. Oh, pourquoi suis-je venu ici pour y jouer sottement ma vie ?

Il allait et venait, empli d'une peur indicible, écoutait, sursautait au moindre bruit. Finalement la porte s'ouvrit toute grande et un page habillé de soie annonça :

— Lady Jane Grey.

La porte se referma et une douce jeune demoiselle, richement vêtue, s'avança vers lui. Mais elle s'arrêta net et dit d'une voix pleine de détresse :

— Oh, monseigneur, qu'est-ce qui vous tourmente ?

Tom ne pouvait presque plus respirer. Il se ressaisit et réussit à dire :

— Ayez pitié de moi ! Je ne suis pas un seigneur. Je ne suis que le pauvre Tom Canty, d'Offal Court dans la cité de Londres. Je vous supplie de me laisser voir le prince qui gracieusement me rendra mes guenilles et me laissera ressortir sain et sauf. Ayez pitié de moi! Sauvez-moi!

Entre-temps le garçon était tombé à genoux, la suppliant du regard, les mains jointes, la prière sur les lèvres. La jeune fille semblait frappée d'horreur. Elle s'écria:

— Oh monseigneur, vous à genoux?... Devant *moi*?

Sur quoi elle s'enfuit terrifiée et Tom, accablé de désespoir, s'effondra, murmurant:

— Pas d'aide possible, pas d'espérance possible. Ils vont venir et m'emmener.

Tandis qu'il gisait là, paralysé de terreur, des nouvelles épouvantables se propageaient très rapidement dans le palais. On chuchotait d'un domestique à l'autre, de seigneur à dame, au long des corridors, de causerie en causerie, de salon en salon:

— Le prince est fou! Le prince est fou!

Bientôt chaque appartement, chaque hall de marbre, vit se rassembler des groupes scintillants de seigneurs et de dames, ou d'éblouissants compagnons de moins haut rang, causant à voix basse avec un air sérieux, et l'effroi se peignait sur tous les visages.

Bientôt, une rumeur se fit entendre dans les corridors:

— Le prince! Attention, voilà le prince!

Le malheureux Tom s'avança avec lenteur au milieu des groupes qui s'inclinaient profondément devant lui, tâchant de s'incliner lui aussi, contemplant avec soumission ces lieux inhabituels avec des regards perdus et pitoyables. Des nobles de haut rang l'encadraient, le soutenaient et l'aidaient à marcher. Derrière lui s'avançaient le médecin de la cour et quelques domestiques.

Pour finir Tom se retrouva dans une noble salle du palais, et entendit la porte se refermer derrière lui. Autour de lui se tenaient les gens qui l'avaient accompagné.

Devant lui, à quelque distance, était assis un homme très gros et très gras, au large visage bouffi et à l'expression sévère. Sa vaste tête était grise, et sa barbe, taillée de façon à encadrer son visage, était grise elle aussi. Il était richement vêtu mais avec négligence, et ses vêtements étaient même un peu abîmés par endroits. Une de ses jambes enflées était posée sur un coussin, enveloppée dans des bandages. On se taisait à présent. Toutes les têtes étaient inclinées, sauf celle de cet homme. Cet invalide à l'allure sévère était le redoutable Henri VIII. Lorsqu'il se mit à parler, sa face prit une expression de douceur.

— Comment allons-nous, seigneur prince Édouard? As-tu voulu me mettre à l'épreuve par une déplorable plaisanterie, moi le bon roi ton père, qui t'aime, qui t'ai toujours bien traité?

Le malheureux Tom écoutait, pour autant que l'état de confusion où il était pouvait le lui permettre, ce début de discours. Mais lorsque les mots «moi le bon roi» lui parvinrent, son visage pâlit et il se laissa tomber aussitôt à genoux comme blessé d'un coup de fusil. Il leva les mains et s'exclama:

— Vous, le *roi*? Alors je suis sauvé assurément!

Ces paroles parurent stupéfier le roi. Ses yeux errèrent sans but de visage en visage, puis se posèrent à nouveau avec embarras sur le garçon qui se tenait devant lui. Il dit d'un ton très déçu :

— Hélas, j'avais cru la rumeur exagérée, j'ai grand peur que ce ne soit pas le cas.

Il poussa un grand soupir et dit avec douceur :

— Viens voir ton père, mon enfant. Tu ne vas pas bien.

On aida Tom à se relever, et il approcha Sa Majesté, tout humble et tout tremblant. Le roi prit entre ses mains son visage plein de frayeur, le regarda un instant sérieusement et avec amour, comme s'il attendait un signe qui lui permettrait d'espérer un retour à la raison; puis il pressa contre sa poitrine la tête bouclée de Tom, et la tapota avec tendresse. Il parla enfin :

— Reconnais-tu ton père, mon enfant? Ne brise pas mon vieux cœur... dis que tu me reconnais. Tu me reconnais, n'est-il pas vrai?

— Oui, vous êtes Sa Seigneurie le roi, que Dieu vous préserve!

— Exact, exact... c'est bien... rassure-toi, ne tremble pas ainsi. Personne ici ne te veut du mal. Tu vas mieux, ce mauvais rêve est fini, n'est-ce pas? Tu sais qui tu es, n'est-ce pas? Tu ne te prends plus pour un autre, comme on me dit que tu le faisais il y a un instant?

— Je supplie votre Grâce qu'elle veuille bien me croire, je n'ai dit que la vérité, redouté seigneur; car de vos sujets je suis le moindre, né misérable, ma présence ici n'est due qu'à un accident, à pure malchance, quoique je n'aie rien à me reprocher. Je suis bien jeune pour mourir, et un mot de vous peut me sauver. Sire! sire! dites ce mot!

— Mourir? Ne parle pas ainsi, doux prince. Paix, paix soit à ton cœur troublé... Tu ne vas pas mourir!

Tom se jeta à genoux avec un cri de bonheur:

— Dieu veuille récompenser votre miséricorde, mon roi, et vous conserver longtemps pour la bénédiction de votre royaume!

Se levant d'un bond, il se retourna joyeusement vers les deux gentilshommes qui l'assistaient et s'exclama:

— Vous avez entendu! Je ne vais pas mourir: c'est le roi qui l'a dit!

Personne ne bougea, sauf que tous s'inclinèrent gravement avec respect, mais sans parler. Il hésita, quelque peu embarrassé, et se tourna timidement vers le roi:

— Puis-je m'en aller à présent?

— T'en aller? Oui, certes, si tel est ton désir. Mais pourquoi ne pas rester un peu? Où veux-tu aller?

Tom baissa les yeux et répondit avec humilité:

— Peut-être me suis-je mépris: je croyais être libre, et j'allais retourner là où je suis né et ai été élevé, lieu misérable assurément, mais où vivent ma mère et mes sœurs et qui représente donc mon foyer; tandis qu'aux pompes et aux splendeurs qui m'environnent je ne suis point accoutumé… oh, je vous en supplie, Majesté, laissez-moi partir!

Le roi resta silencieux et pensif un moment, son visage trahissant une détresse et un malaise grandissants. Finalement il dit, avec quelque espoir dans la voix:

— Peut-être sa folie est-elle restreinte à ce seul point et a-t-il conservé sa lucidité pour le reste. Dieu veuille qu'il en soit ainsi! Nous allons le mettre à l'épreuve.

Il posa à Tom une question en latin, et Tom répondit assez maladroitement dans cette langue. Le roi fut ravi et le laissa paraître. Les seigneurs et docteurs manifestèrent eux aussi leur contentement. Le roi dit:

— Cela ne correspondait pas tout à fait à son niveau, mais cela n'en a pas moins montré que, tout malade que soit son esprit, il n'est pas complètement perdu. Quel est votre avis, docteur?

Le médecin auquel il s'était adressé s'inclina profondément et répondit:

— Cela rejoint mes propres convictions, Sire: Votre Majesté a vu juste.

Cet encouragement, donné par une autorité reconnue, parut plaire au roi, qui poursuivit avec chaleur:

— Regardez bien, vous tous. Continuons cet exercice.

Il posa alors à Tom une question en français. Tom resta quelque temps silencieux. Tous ces yeux fixés sur lui l'embarrassaient. Puis il dit, non sans réticence:

— Je ne connais pas cette langue, n'en déplaise à Votre Majesté.

Le roi retomba sur son siège. Sa suite se précipita pour le soutenir, mais il l'écarta.

— Ne m'ennuyez pas, dit-il, ce n'est rien, une faiblesse temporaire. Soulevez-moi… Voilà qui suffit. Viens ici, mon enfant. Là, pose ta pauvre tête dérangée sur le cœur de ton père, sois en paix. Tu iras bien dans peu de temps, ce n'est qu'un trouble léger et éphémère. N'aie pas peur, d'ici peu tu seras guéri.

Puis il se tourna vers l'assistance, et sa manière changea, sa douceur disparut et ses yeux lancèrent des éclairs.

— Écoutez-moi tous, dit-il. Mon fils que voici est fou, mais ce n'est qu'une folie passagère. Il a trop étudié, il a été trop confiné : au diable livres et maîtres ! Vous allez cesser toutes les leçons et lui imaginer des divertissements. Qu'on lui fasse plaisir, qu'on lui offre de pratiquer des sports, qu'on le charme de toutes les manières possibles afin de le ramener à la santé.

Il se redressa encore davantage et poursuivit avec énergie :

— Il est fou, mais il est mon fils et l'héritier du trône ; et fou ou sensé il régnera ! Et écoutez encore ce qui suit, qu'on se le dise : quiconque parlera de sa mauvaise santé œuvrera à l'encontre de la paix et de l'ordre du royaume, et ira aux galères !… Qu'on m'apporte à boire, je brûle de soif. Ce chagrin sape mes forces. Là, remportez cette coupe… Soutenez-moi. Voilà qui est bien. Fou, vraiment ? Fût-il fou mille fois, il n'en serait pas moins le prince de Galles ; moi, le roi, je le proclamerai. Dès demain il sera confirmé officiellement selon les anciens rites dans sa princière dignité. Veuillez veiller à cela immédiatement, seigneur Hertford.

Un noble personnage fléchit le genou au pied du trône et dit :

— Votre Majesté sait pourtant que Lord Norfolk…

— Silence ! Prononcer ce nom exécré, celui d'un criminel coupable de lèse-majesté, c'est me faire injure !

Lord Hertford s'inclina et reprit :

— Pardon… Donc, Votre Majesté sait que celui qui occupait les fonctions de Grand Maréchal se trouve toujours enfermé à la tour de Londres pour crime de haute trahison et ne peut ainsi diriger la cérémonie. Il ne serait pas convenable qu'un criminel…

— Et alors ? Est-il destiné à vivre toujours ? Ma volonté doit-elle demeurer ainsi bafouée ? Le prince restera-t-il non confirmé simplement parce que le royaume attend que le maréchal suspect de trahison cesse de nous importuner par sa présence ? Qu'on fasse savoir immédiatement au Parlement qu'il doit me faire parvenir la condamnation de Norfolk dès avant que le soleil se lève, ou les lords qui y siègent en répondront de leur tête.

Lord Hertford dit :

— La volonté du roi fait loi.

Il se releva et regagna sa place.

Peu à peu la colère s'effaça du visage du vieux roi et il dit :

— Embrasse-moi, prince. Là… que crains-tu? Ne suis-je pas ton père qui t'aime?

— Vous êtes bon pour moi. Je n'en suis pas digne, ô puissant et gracieux seigneur. Cela en vérité je le sais. Mais… mais… cela me fait mal de penser à celui qui doit mourir, et…

— Ah! voilà qui te ressemble, voilà qui te ressemble! Je te reconnais à ton cœur, même quand ton esprit est souffrant, car tu as été et tu demeures généreux. Oui, mais ce duc se dresse entre toi et les honneurs que tu dois recevoir. Je veux choisir un autre Grand Maréchal qui ne trahira point les devoirs de sa charge. Console-toi, ne va pas troubler ta pauvre tête à ce sujet.

— Mais n'est-ce point à cause du prince que sa vie doit être écourtée, à lui qui est son vassal? demanda ingénument Tom, qui ne réalisait pas encore pleinement que le « prince » était en fait lui-même aux yeux de tous les gens présents. Ceci cependant n'éveilla pas plus de soupçons et le roi enchaîna, habitué lui aussi de parler de lui-même à la troisième personne.

— Ne pense pas à Norfolk, il n'en vaut pas la peine. Embrasse-moi une fois encore et retourne à tes jeux: mon mal me fait souffrir. Je suis épuisé, j'ai besoin de repos. Suis Lord Hertford et tes gens. Tu reviendras quand mon corps se sera rafraîchi.

Tom, le cœur lourd, fut emmené hors de sa présence. La dernière phrase avait sonné le glas de son espérance d'être libre. Une fois de plus il entendit indistinctement s'exclamer à voix basse:

— Le prince, voilà le prince!

Son moral était au plus bas. Tandis qu'il s'avançait entre deux rangs scintillants de courtisans qui s'inclinaient devant lui, il comprenait qu'il était désormais prisonnier, à jamais enfermé dans cette cage dorée. Un prince, oui, mais un prince désolé et sans amis, sans espoir, excepté si Dieu dans sa miséricorde prenait pitié de lui et le libérait.

Il lui semblait voir flotter dans l'air une tête mutilée : celle du duc de Norfolk, qui fixait sur lui des yeux pleins de reproches.

Ses précédents rêves avaient été si plaisants ! Mais la réalité présente était, ô combien, effrayante !

CHAPITRE VI

On conduisit Tom dans le salon principal d'une noble suite, on l'aida à s'y asseoir (ce qui l'indisposa devant ces hommes plus âgés que lui et ces personnages de haut rang). Il les pria de s'asseoir aussi mais ils se bornèrent à le remercier à voix basse ou en s'inclinant et ils restèrent debout. Quand il voulut insister, le comte d'Hertford lui souffla à l'oreille :

— Daignez ne pas insister, monseigneur. Il n'est pas convenable qu'ils soient assis devant vous.

On annonça Lord Saint-John. Après s'être incliné respectueusement devant Tom, celui-ci dit :

— Je suis chargé par le roi d'une mission confidentielle. Votre Altesse Royale peut-elle renvoyer les personnes présentes, excepté le comte d'Hertford ?

Tom, interloqué, ne bougea point. Ayant remarqué que le jeune homme ne semblait pas savoir comment s'y prendre, Hertford lui souffla de faire signe de la main, sans nécessité de parler. Quand les courtisans se furent retirés, Lord Saint-John expliqua :

— Voici les ordres de Sa Majesté. Le prince, pour de puissantes et nécessaires raisons d'état, dissimulera avec grâce sa maladie par tous les moyens qui seront en son pouvoir, jusqu'à sa guérison et son retour à l'état normal. Il ne dira jamais qu'il n'est pas le véritable prince, héritier du noble trône d'Angleterre. Il saura soutenir sa dignité princière et il recevra sans protester aucunement, ni en paroles ni en gestes, les respects et les hommages que lui destinent les antiques usages. Il ne parlera plus à personne de cette basse naissance et de cette vie vulgaire forgées par son imagination à partir de chimères invraisemblables. Il s'appliquera à ramener à sa mémoire tout ce que précédemment il était tenu de savoir; s'il y échoue il gardera le silence, ne marquera aucune surprise, ne trahira par nul signe ce qu'il a pu oublier. Dans les affaires d'État, s'il est perplexe et ne sait comment se conduire ou comment parler, il ne laissera percer aucune inquiétude, devant les regards curieux de l'assistance, mais recourra aux conseils de Lord Hertford ou de moi-même, qui avons reçu du roi l'ordre de rester à ses côtés pour le servir jusqu'à révocation de ces ordres. Ainsi a parlé Sa Majesté, qui envoie ses salutations à Votre Altesse Royale et prie Dieu dans Sa miséricorde de vous ramener à la guérison et de vous conserver maintenant et toujours en Sa sainte garde.

Lord Saint-John salua et se plaça en retrait. Tom répondit avec résignation :

— Le roi a parlé… nul ne peut négliger ses ordres ou les adapter à ses propres désirs. Le roi sera obéi.

Lord Hertford ajouta :

— Sa Majesté le roi ayant demandé que Votre Altesse s'abstienne pour le moment de travaux sérieux et de lectures austères, vous plairait-il que nous organisions pour vous une fête agréable ? À moins que Votre Altesse ne craigne que ces divertissements de nature légère l'épuisent et empêchent sa pleine participation au banquet ?

Le visage de Tom marqua quelque surprise et se fit interrogateur. Il rougit lorsqu'il vit l'expression peinée de Lord Saint-John. Sa Seigneurie dit :

— Votre mémoire vous a encore trahi et vous montrez de l'étonnement. Mais ne vous laissez pas abattre, tout cela s'améliorera lorsque votre maladie sera guérie. Lord Hertford faisait allusion au banquet de la cité, qui a reçu il y a deux mois de la bouche du roi la promesse que Votre Altesse y serait présente. Vous en ressouvenez-vous à présent ?

— Je dois avouer que je l'avais effectivement oublié, dit Tom avec hésitation et en rougissant à nouveau.

À ce moment on annonça la princesse Élisabeth et Lady Jane Grey. Les deux lords échangèrent un regard expressif et Hertford se hâta vers la porte. Quand les jeunes filles passèrent près de lui il leur dit à voix basse :

— Je vous supplie, princesses, de ne pas paraître remarquer ses sautes d'humeur, ni de ne montrer aucune surprise si sa mémoire le trahit… Il sera douloureux pour vous de découvrir combien il trébuche sur le plus léger obstacle.

Au même moment, Lord Saint-John glissait à l'oreille de Tom :

— Plaise à Votre Altesse de respecter et garder en mémoire les désirs de Sa Majesté : retrouver le plus de souvenirs possibles, et faire en sorte que vous paraissiez vous souvenir aussi des autres. Ne laissez pas, du moins volontairement, percevoir combien vous êtes changé. Vous savez avec quelle tendresse vos compagnes de jeux depuis l'enfance vous portent dans leur cœur, et à quel point ces altérations pourraient les faire souffrir. Votre Majesté désire-t-elle que je reste ici, ainsi que Lord Hertford?

Tom, d'un geste et d'un murmure fit comprendre que oui: il commençait à se former, et avec toute la simplicité de son cœur il était résolu à s'acquitter du mieux qu'il pourrait de ce que le roi exigeait.

En dépit de toutes les précautions, la conversation entre les trois jeunes personnes créa quelques embarras. À dire vrai, Tom faillit plus d'une fois avouer qu'il ne se sentait guère à la hauteur du rôle qui lui était imparti, mais le tact de la princesse Élisabeth lui épargna cela, ou bien un mot jeté apparemment au hasard par l'un ou l'autre des deux lords qui le surveillaient permit d'aboutir au même heureux résultat. Une seule fois la petite Lady Jane lui causa une vraie frayeur en lui demandant:

— Avez-vous aujourd'hui présenté vos respects à Sa Majesté la reine, monseigneur?

Tom hésita, parut fort malheureux, et allait bégayer une réponse hasardeuse, lorsque Lord Saint-John le rattrapa à temps et répondit à sa place avec toute la grâce et l'aisance d'un vieux courtisan rompu aux situations délicates et épineuses:

— Assurément, madame, il l'a fait, elle l'a grandement rassuré au sujet de la santé du roi… n'est-il pas vrai, Votre Altesse?

Tom marmonna quelque chose qui fut pris pour un assentiment, mais il se sentait entraîné dans un terrain miné. Un peu plus tard mention fut faite que Tom n'étudierait plus pour l'instant, sur quoi la petite princesse s'exclama :

— Quel dommage, quel dommage ! Vous faisiez de tels progrès. Mais prenez votre mal en patience. Vous avez tout le temps de devenir instruit comme votre père. Vous serez favorisé comme lui du don de parler un grand nombre de langues, ô mon gentil prince.

— Mon père ! s'écria Tom sans y prendre garde. Il parle de telle façon que personne à part les cochons de l'étable ne peut comprendre ce qu'il veut dire… et quant à apprendre quoi que ce soit il…

Il leva la tête et rencontra le regard solennellement réprobateur de Lord Saint-John.

Il s'arrêta net, rougit, et reprit d'une voix basse et triste :

— Ah, voilà que ce mal me persécute à nouveau, mon esprit a encore battu la campagne. Je ne voulais certainement pas manquer de respect à mon roi.

— Nous le savons bien, sire, le calma la princesse Élisabeth, prenant entre ses deux paumes la main de son « frère », d'une manière aussi respectueuse que caressante. Veuillez ne pas vous troubler pour si peu. La faute en est à votre mal, pas à vous.

Tom esquissa un geste de remerciement :

— Vous me réconfortez, madame, dit Tom avec gratitude, et mon cœur éprouve à votre endroit tant de reconnaissance pour votre bonté et votre patience.

La petite Lady Jane lança alors étourdiment à Tom une phrase en grec. L'œil prompt de la princesse Élisabeth perçut immédiatement l'air inexpressif que prenait le destinataire de la phrase, devina qu'il était perdu. Sans se démonter, elle lança à la place de Tom une réponse en grec, et détourna tout de suite la conversation.

Le temps s'écoula agréablement et relativement sans anicroche. Tom fit de moins en moins de bévues; il se sentit de plus en plus à l'aise, à les voir tous se pencher sur lui avec tant d'affection, faire tout leur possible pour l'aider, ne pas sembler remarquer ses fautes. Quand il s'avéra que ces jeunes demoiselles l'accompagneraient le soir au banquet du Maire, son cœur sauta dans sa poitrine de joie et de soulagement: il sentait fortement qu'il ne serait pas sans ami au sein de ces nuées d'étrangers et d'inconnus. Dire qu'une heure plus tôt, l'idée qu'elles dussent l'accompagner lui eût causé une terreur insurmontable!

Les anges gardiens qui protégeaient Tom, à savoir les deux lords, étaient moins détendus que les plus jeunes face à la perspective de cette rencontre. Ils étaient dans la position de quelqu'un devant piloter un grand navire et le manœuvrer afin qu'il traverse un canal étroit et périlleux. Sans cesse en alerte, ils trouvaient que leur tâche n'était pas un jeu d'enfant. Si bien qu'à la fin de la visite des demoiselles, lorsque Lord Guilford Dudley fut annoncé, non seulement ils estimèrent avoir dépensé assez d'énergie pour venir à bout de leur tâche, mais ils craignirent en outre de ne plus être eux-mêmes suffisamment en forme pour ramener le bateau à son point de départ et avoir à réitérer toute la traversée avec ses angoisses. Ils suggérèrent respectueusement à Tom d'annuler cette visite et de présenter ses excuses, ce à quoi il fut heureux d'obtempérer, bien que l'ombre d'une déception assombrit le visage de Lady Jane quand elle apprit qu'on refusait l'entrée à ce jeune et lumineux personnage.

Tous se taisaient maintenant. On semblait attendre quelque chose mais Tom ne comprenait pas de quoi il s'agissait. Il regarda Lord Hertford qui lui fit un signe qu'il ne sut pas interpréter non plus. La vigilante Élisabeth vint à son secours avec l'aisance et la grâce qui lui étaient habituelles. Elle demanda, avec une révérence :

— La faveur du prince notre frère nous autorisera-t-elle à nous retirer ?

Tom répondit :

— Certes, vos désirs sont ma volonté, même si je donnerais tout ce qui est en mon pouvoir pour vous garder près de moi plus longtemps. Heureusement, mon cœur est avec vous et ma pensée vous suit. Allez en paix et que Dieu vous accompagne.

Il sourit à part lui : « Ce n'est pas pour rien, pensa-t-il, que j'ai fréquenté tant de princes dans mes lectures, et enseigné à ma langue l'art fleuri de tourner un gracieux compliment. »

Lorsque les illustres demoiselles eurent disparu, Tom se tourna vers ses gardiens et demanda avec lassitude :

— La faveur de Vos Seigneuries m'autorise-t-elle à prendre en quelque recoin un peu de repos ?

— Nous sommes aux ordres de Votre Altesse, répondit Lord Hertford : c'est à elle de commander et à nous d'obéir. Quelque repos lui est assurément nécessaire, car elle aura sous peu à voyager vers la cité de Londres.

Il sonna, un page apparut, à qui il fut enjoint d'aller chercher Sir William Herbert. Ce gentilhomme se présenta aussitôt et conduisit Tom vers une pièce intérieure. Tom tendit la main dans le but de se verser lui-même un gobelet d'eau fraîche : un serviteur vêtu de soie et de velours le prévint et saisit aussitôt le gobelet et, fléchissant le genou, le lui présenta sur une soucoupe d'or.

Puis, fort las, le prisonnier s'assit pour retirer ses bottes, demandant timidement du regard qu'on le laissât faire, mais un nouveau rabat-joie vêtu de velours et de soie vint s'agenouiller à ses pieds pour s'acquitter à sa place de cette mission. Il fit encore deux ou trois tentatives pour agir par lui-même mais, prévenu à chaque fois, y renonça avec un soupir résigné, murmurant : «Le diable m'emporte ! je m'étonne qu'ils n'exigent pas aussi de respirer à ma place !» Drapé dans une somptueuse robe de chambre et chaussé de pantoufles il s'étendit enfin pour se reposer sinon dormir, sa tête étant trop pleine de pensées qu'il n'arrivait pas à chasser et la salle étant trop pleine de spectateurs pour le lui permettre.

Quand Tom était sorti, ses deux nobles gardiens étaient restés seuls. Ils laissèrent passer un peu de temps, arpentant le plancher et hochant beaucoup la tête, puis Lord Saint-John prit la parole :

— En un mot, que pensez-vous de cette situation ?

— Franchement, voilà ce que je pense : le roi approche de sa fin, son fils est fou, fou sur le trône il montera, fou il restera. Que Dieu protège l'Angleterre car elle en aura besoin.

— Cela est vrai, certes, c'est bien ce qui s'annonce. Mais… ne pensez-vous pas du tout que… que…

L'orateur hésitait et finalement cessa de parler. Il sentait visiblement qu'il s'aventurait sur un terrain fort délicat. Lord Hertford se planta devant lui, le regarda dans les yeux :

— Continuez, dit-il. Personne d'autre que moi ici ne vous entend. Que je ne pense pas du tout que quoi ?

— Je suis fort peu désireux de préciser les idées qui me traversent l'esprit à vous qui, par le sang, êtes de lui si proche, monseigneur. J'implore votre indulgence s'il est injurieux de trouver étrange que la folie puisse modifier de cette façon son allure et ses manières !… Non que son apparence ou ses discours ne soient pas toujours princiers, mais ne paraît-il pas quelque peu étonnant que sa folie ait filtré ce qui était dans sa mémoire : ce que sait son père, ce qui lui est dû, comment doivent se comporter ceux qui l'entourent, que le souvenir du latin lui soit resté mais non celui du français ou du grec ? Monseigneur, excusez ma hardiesse, mais l'incertitude et le doute me poussent à vous demander honnêtement le fond de votre pensée. N'a-t-il pas dit qu'il n'était pas le prince ? Voilà ce qui m'obsède. Si bien que…

— Silence, seigneur, vous vous rendez coupable de haute trahison. Oubliez-vous les ordres du roi ? Souvenez-vous que si je vous écoute je deviens aussi criminel que vous.

Saint-John pâlit et se hâta de dire :

53

— J'étais en faute, je le confesse. Ne me dénoncez pas ! Que votre courtoisie m'accorde cette grâce. Je n'y reviendrai ni en pensée ni en paroles. Ne soyez pas inhumain, monsieur, sinon c'en est fait de moi.

— C'est bon, voilà qui me suffit, monseigneur. Pour peu qu'il ne vous arrive plus d'offenser mes oreilles ou celles de tiers, il en sera comme si vous n'aviez rien dit. Mais que vos soupçons se dissipent: sa voix, son visage, ses traits ne me sont-ils pas familiers depuis qu'il est au berceau? L'aliénation peut être cause de toutes les étrangetés que vous avez relevées et bien d'autres encore. Vous souvenez-vous comment le vieux baron Marley, pris de folie, ne se reconnaissait plus lui-même après soixante années d'existence et décida qu'il avait été quelqu'un d'autre? Il allait jusqu'à affirmer qu'il était le fils de Marie-Madeleine et que sa tête était en cristal de Venise. C'était au point qu'il refusait que l'on y touche, craignant que par inadvertance quelque maladroit puisse la lui casser. Apaisez donc vos craintes, mon bon seigneur, c'est bien le prince, je le connais bien – il sera bientôt votre roi. Peut-être auriez-vous avantage à conserver cela à l'esprit plutôt que de nourrir d'autres idées. Souvenez-vous, milord, que vos folles suppositions pourraient se tourner contre vous.

Ils causèrent encore quelque temps, Lord Saint-John réparant son erreur du mieux qu'il le pouvait, protestant à nouveau que cette fois-ci il y croyait tout à fait fermement et ne douterait plus à l'avenir. Lord Hertford, ému de son trouble, le rassura, lui promit le silence le plus absolu et le congédia amicalement. Lord Hertford s'assit pour réfléchir. Sa préoccupation était profonde: on voyait bien que plus il y pensait, plus il était soucieux. Il se mit à arpenter le plancher, marmonnant.

— Parbleu, c'est bien le prince, c'est une nécessité. Pourrait-on soutenir qu'il puisse y avoir dans ce pays deux personnes de sang différent si absolument pareilles? Et quand cela serait, quel miracle inouï, que l'un fût projeté en la place de l'autre, ici, dans ce palais, en plein jour et sous nos yeux! Non, non, non, c'est insensé!

Il dit enfin:

— Voyons! Que ce soit un imposteur qui se fasse appeler prince, voilà qui serait somme toute naturel, et même raisonnable. Mais vit-on jamais un imposteur qui, appelé prince par le roi, appelé prince par la cour, appelé prince par tous, *nierait* ce titre et s'élèverait contre sa propre promotion? *Non*! Par l'âme de saint Swithin, cela ne peut être! C'est bien le prince, devenu fou!

CHAPITRE VII

Peu après une heure de l'après-midi, Tom endura avec résignation l'épreuve que représentait la séance d'habillage pour le dîner. Il se vit mis avec autant d'élégance que précédemment mais tout autre, ses vêtements ayant été changés depuis le jabot jusqu'aux chaussettes.

On l'accompagna finalement en grande pompe jusqu'à une vaste salle très ornée, où le couvert était dressé pour une seule personne. La vaisselle, d'or massif, était ornée de ciselures admirables dues à Benvenuto, le plus grand artiste de l'époque. La pièce était pleine de nobles valets. Un chapelain récitait le bénédicité tandis que Tom s'impatientait, prêt à s'évanouir à la vue de tous les mets splendides placés devant lui. Tom allait se jeter sur la nourriture car il était affamé de naissance, quand un gentilhomme l'arrêta pour lui nouer une serviette autour du cou. En effet, la haute fonction de « noueur de serviette » du prince de Galles était héréditaire dans la famille de ce noble personnage. La personne qui lui avait précédemment apporté le gobelet était là aussi et prévint toutes ses tentatives pour se servir lui-même du vin. Le goûteur de Son Altesse Royale le prince de Galles était là également, prêt à goûter si nécessaire tout plat suspect et à courir le risque d'être empoisonné. Son rôle était maintenant ornemental, mais il y avait eu des temps pas si lointains, peu de générations auparavant, où la fonction de goûteur s'exerçait non sans péril et cette haute place suscitait fort peu de candidatures. Pour quelle raison n'y employait-on pas un chien ou un plombier, on peut s'en étonner, mais les actions des rois sont toujours surprenantes. Lord d'Arcy, le premier valet de chambre, était présent (Dieu sait pour quoi faire, mais présent il était et c'était suffisant). Le lord premier maître d'hôtel était aussi présent, debout derrière la chaise de Tom, et veillait au déroulement des solennités, sous les ordres du grand intendant et du lord cuisinier en chef, debout à ses côtés. Tom avait trois cent quatre-vint-quatre domestiques en plus de ceux-là. Mais bien sûr pas tous dans la salle, pas même le quart d'entre eux, et il ignorait pour l'instant jusqu'à leur existence.

Tous les participants avaient été dûment informés au cours de l'heure précédente qu'ils devaient se souvenir que le prince avait temporairement perdu l'esprit, et qu'ils devaient prendre garde à ne laisser paraître aucun signe de surprise devant ses bévues. Ces «bévues» s'accumulèrent bientôt sous leurs yeux et constituèrent un vrai spectacle, mais elles éveillèrent compassion et chagrin, nulle hilarité. Voir leur prince bien-aimé aussi atteint les affligeait beaucoup.

Le malheureux Tom mangeait la plupart du temps avec ses doigts. Personne n'en sourit, personne ne parut même le remarquer. Il examina sa serviette sous toutes les coutures avec beaucoup d'intérêt, car le tissu était remarquable, puis leur dit avec simplicité :

— Je vous en prie, emportez cela, de peur que par mégarde cela ne soit sali.

Le noueur de serviette emporta respectueusement l'objet en question, sans commentaire ni récrimination d'aucune sorte. Tom examina les navets et la laitue avec curiosité, demanda ce que c'était et si cela se mangeait. En effet, ces légumes inconnus en Angleterre avaient été importés de la Hollande comme objets de luxe. On lui répondit avec gravité et respect, sans manifester aucune surprise. Quand il eut achevé son dessert, il emplit ses poches de noix et nul ne parut le remarquer ni s'en émouvoir. Mais lui-même s'en émut et perdit contenance. Se doutant qu'il venait assurément de commettre un impair et qu'il avait agi de façon peu princière, il tenta maladroitement de remettre les noisettes sur la table. À ce moment, ses muscles tressaillirent et la pointe de son nez commença à le démanger. Il tenta d'étouffer une détresse croissante, mais les larmes lui vinrent aux yeux. Il supplia du regard les lords qui l'entouraient, qui tous se précipitèrent vers lui, le visage plein d'effroi, et le pressèrent de leur faire savoir ce qui n'allait pas. Tom avoua avec une angoisse non feinte :

— J'implore votre indulgence… Mon nez me démange cruellement. Quel est l'usage en pareil cas ? Je vous supplie de me répondre vite car je ne pourrai plus tenir très longtemps.

Nul ne sourit. Tous étaient plongés dans la perplexité. Ils s'interrogèrent les uns les autres du regard. Il y avait-là un cas imprévu et sans précédent dans les annales de l'histoire de l'Angleterre. Le maître des cérémonies était absent et personne n'osait s'aventurer en toute sécurité sur cette mer non répertoriée dans les cartes, personne ne voulait risquer une tentative pour résoudre ce cérémonial casse-tête. Hélas, il n'existait pas de « gratteur » officiel. Entre-temps, les larmes avaient débordé de leurs rives et commençaient à rouler sur les joues de Tom. Les démangeaisons de son nez le pressaient plus que jamais de le soulager. Pour finir la nature l'emporta sur l'étiquette. Tom fit mentalement sa prière, demandant pardon s'il commettait une faute, et il apporta un soulagement considérable à tous les cœurs de sa cour en se grattant le nez lui-même.

À la fin du repas, un lord entra et lui présenta un récipient large, creux et doré, contenant une eau parfumée à la rose destinée au nettoyage de sa bouche et de ses doigts; le noueur de serviette était debout à ses côtés, tenant une serviette en réserve pour qu'il puisse s'essuyer. Tom contempla le récipient, réfléchit quelques instants, le porta à ses lèvres, et gravement en avala une gorgée. Sur quoi il se retourna vers le lord de service en faisant claquer sa langue:

— Non, cela ne me convient pas, monseigneur. L'odeur en est plaisante, mais cela n'est pas assez fort.

Cette nouvelle excentricité de l'esprit délabré du prince fit saigner tous les cœurs autour de lui. Tous soupirèrent tristement, personne ne rit.

Suivit un autre faux-pas dont il n'eut pas conscience: Tom se leva pour quitter la table au moment précis où le chapelain s'était arrêté derrière sa chaise, les mains levées, les yeux au ciel, et baissant les paupières commençait de dire les grâces. Pourtant nul ne parut s'apercevoir que le prince avait commis un acte inouï, inqualifiable, contraire à l'étiquette et même profondément irréligieux.

Sur sa demande, notre jeune ami fut reconduit dans son cabinet privé et on l'y laissa seul. Suspendus à des crochets sur des rayons de chêne il y avait plusieurs pièces d'une brillante armure d'acier aux gracieux motifs incrustés d'or et d'un travail exquis. Cet attirail martial appartenait au vrai prince, qui l'avait récemment reçu en cadeau de la reine, Catherine Parr. Tom se vêtit de l'armure, des gantelets, du casque où flottaient des plumes, ainsi que tous les éléments qu'il pouvait enfiler sans assistance. Il envisagea brièvement d'appeler et de se faire aider pour en venir à bout, mais il se souvint tout à coup des noix qu'il avait rapportées du dîner, et du bonheur que ce serait d'en manger sans assemblée de spectateurs qui le contemple ni de domestiques le harcelant de services non désirés. Il replaça donc les jolis joujoux dans leurs étuis respectifs et bientôt, craquant ses noix, il se sentit heureux et détendu pour la première fois depuis que Dieu pour le punir de ses péchés avait fait de lui un prince. Quand les noix eurent toutes disparu, il tomba en arrêt devant quelques livres alléchants sur une étagère de placard. L'un d'entre eux traitait de l'étiquette à la cour d'Angleterre. Voilà qui était une belle prise. Il s'étendit sur un somptueux divan et entreprit de s'instruire avec tout le zèle d'un honnête garçon.

CHAPITRE VIII

Vers cinq heures, Henri VIII émergea d'un sommeil peu réparateur et murmura tout bas pour lui-même : «Sombres rêves! Sombres rêves! Je suis bien proche de ma fin, voilà ce que ces songes me disent, et mon pouls défaillant le confirme.» Sur quoi une lueur sinistre brûla en son regard et il s'indigna :

— Et pourtant, je ne veux pas mourir avant d'être débarrassé de *lui*.

Sa suite s'aperçut qu'il était éveillé. On lui demanda s'il lui plaisait de recevoir la visite du Lord Chancelier qui attendait dehors.

— Qu'on l'introduise! Qu'on l'introduise! dit vivement le roi.

Le Lord Chancelier entra et mit un genou en terre aux pieds du souverain. Il dit :

— J'ai transmis les ordres. Conformément à la volonté du roi, les pairs du royaume, en habits d'apparat, se tiennent dans le tribunal où ils viennent de confirmer la condamnation à mort du duc de Norfolk. Ils attendent humblement les prochaines instructions de Sa Majesté.

Le visage du roi étincela d'une joie féroce.

— Qu'on me soulève! exigea-t-il. J'irai en personne devant mon Parlement et de ma propre main je scellerai l'ordre d'exécution qui me débarrassera de…

La voix lui manqua, puis une pâleur de cendre effaça la rougeur de ses joues. Ses aides le réinstallèrent sur ses oreillers et se hâtèrent de lui offrir un rafraîchissement. Il s'exprimait maintenant d'un ton souffrant:

— Hélas! comme j'ai désiré et attendu ce moment! Et voilà qu'il se présente trop tard, alors que je ne peux plus en profiter. Mais dépêchez-vous! Dépêchez-vous! Que d'autres s'acquittent du plaisant office qui m'est dénié. Qu'on choisisse à l'instant les lords qui feront partie de la délégation, et vite au travail! Hâtez-vous! Avant que le soleil se soit levé et couché à nouveau, qu'on m'apporte sa tête, que je puisse la voir.

— Il en sera selon les ordres du roi. Sera-ce le bon plaisir de Votre Majesté que le grand sceau me soit redonné afin que je puisse procéder à cette tâche?

— Le grand sceau? s'empourpra le roi. Qui donc le garde si ce n'est toi?

— Que Votre Majesté veuille bien se souvenir qu'elle me l'a pris il y a deux jours en prévision de la condamnation du duc de Norfolk.

— Ah! c'est vrai! Cela me revient en effet… Où ai-je mis ce sceau?… Je suis très affaibli… Ma mémoire me trahit si souvent ces jours-ci… C'est bien étrange, bien étrange…

Le roi continua à proférer des mots inarticulés, hochant faiblement de temps en temps sa tête grise et tâtonnant pour retrouver ce qu'il avait pu faire du sceau. Finalement, Lord Hertford osa mettre un genou en terre et lui rappela :

— Sire, si je peux avoir la hardiesse de le dire, plusieurs personnes présentes ici se souviennent comme moi que vous avez déposé le grand sceau entre les mains de Son Altesse le prince de Galles pour le conserver jusqu'au jour où...

— Juste, très juste ! interrompit le roi. Allez le chercher tout de suite. Faites vite ! Le temps n'attend pas !

Lord Hertford vola chez Tom, mais ne fut pas long à revenir chez le roi, troublé et les mains vides.

— Je suis navré, Sire, de rapporter de si importunes et fâcheuses nouvelles... mais Dieu a voulu prolonger l'état affligeant du prince : il ne peut retrouver le souvenir d'avoir reçu le sceau. Si bien que me voilà promptement de retour, car il m'a semblé que c'était une perte de temps précieux et une entreprise vaine que de commencer à fouiller la longue enfilade de chambres et de salons qui appartiennent à Son Al...

Un gémissement du roi interrompit le lord. Au bout d'un moment Sa Majesté dit avec des inflexions d'une profonde tristesse :

— Qu'on ne dérange plus ce malheureux enfant. La main de Dieu s'est appesantie sur lui. Mon cœur saigne de compassion et d'amour à son encontre et de deuil de ne pouvoir charger son fardeau sur mes vieilles épaules, rompues à la peine, pour lui apporter ainsi la paix.

Il ferma les yeux, prononça encore quelques paroles inaudibles et finit par se taire. Quelques instants plus tard il rouvrit les yeux. Son regard erra vaguement dans la pièce et s'arrêta enfin sur le Lord Chancelier, toujours à genoux. Tout de suite son visage s'enflamma de colère :

— Quoi, encore ici ? Par la gloire de Dieu, si tu ne t'occupes pas immédiatement de ce traître, ta couronne de comte se réjouira demain de ne plus avoir ta tête à coiffer !

Le Chancelier répondit tout tremblant :

— Majesté, de votre bonté j'implore miséricorde ! J'attendais le sceau.

— Homme, as-tu donc toi aussi perdu l'esprit ? Le sceau de format réduit qu'il me plaisait jadis d'emporter en voyage est rangé dans mon trésor. Si le grand sceau a disparu, cet autre ne peut-il suffire ? File ! Et prends garde à toi… ne reviens pas sans m'apporter sa tête.

Le malheureux Chancelier s'éloigna en toute hâte. Un frisson lui courait dans tous les membres, ne dissimulant point combien le voisinage du roi pouvait être dangereux.

Il porta sur-le-champ son redoutable message au servile Parlement, qui fixa au lendemain la décapitation du premier pair d'Angleterre, l'infortuné duc de Norfolk.

CHAPITRE IX

À vingt et une heures, l'eau du fleuve qui coulait devant le palais étincelait de lumières. Le fleuve lui-même, aussi loin que le regard pouvait atteindre en direction de la cité de Londres, était si densément recouvert de bateaux de plaisance et d'embarcations munies de lanternes multicolores bercées par les vagues qu'il évoquait un vaste jardin semé de fleurs de feu. La noble terrasse aux marches de pierre qui menait jusqu'à l'eau, assez vaste pour y masser l'armée entière d'une principauté germanique, formait un tableau mémorable, avec ses rangs de hallebardiers royaux aux armures polies, et ses nuées de serviteurs aux brillants costumes qui voletaient en tous sens et s'affairaient aux préparatifs.

Finalement, un ordre fut donné et toutes les créatures vivantes qui se trouvaient sur la terrasse disparurent instantanément. L'air s'alourdit de chuchotements et d'attente. On pouvait voir sur les bateaux des gens qui par milliers se dressaient, abritaient leurs yeux de la lumière des lanternes et des torches, et regardaient fixement vers le palais.

Une file de quarante ou cinquante barques officielles remonta le courant en direction des marches. Elles étaient richement ornées de sculptures et s'inclinaient avec grâce au gré des vagues. Quelques-unes d'entre elles étaient décorées de bannières et de guirlandes, d'autres de fils d'or et d'argent dans leurs blasons, d'autres de drapeaux de soie portant d'innombrables clochettes d'argent qui lançaient à la ronde des averses de petites notes joyeuses et argentines chaque fois que la brise les agitait. Tout le faste de la cour pouvait s'observer sur ces embarcations, par ailleurs remorquées par un bateau à rames. De magnifiques blasons, d'illustres devises et de superbes armoiries défilaient. Chacune des barques officielles était surmontée d'une tente. Outre les rameurs, ces tentes abritaient des soldats en grand nombre, aux casques et aux armures étincelants, et des troupes de musiciens.

L'avant-garde du cortège attendu apparaissait maintenant à la grille d'honneur, sous forme d'un corps de hallebardiers. Ils étaient vêtus de capes rayées brun et fauve, de bonnets de velours portant sur les côtés des motifs d'argent en forme de roses, de pourpoints d'hermine et d'étoffe bleue montrant devant et derrière les trois plumes dorées brodées, emblème du prince. Les tiges de leurs hallebardes étaient recouvertes de velours écarlate, fixé au moyen de clous d'argent, et ornées de pompons d'or. Ils se rangèrent à droite et à gauche, formant deux longues lignes qui se déployaient depuis la grille du palais jusqu'au bord du fleuve. Une épaisse tapisserie rayée fut alors dépliée et étendue à terre par les laquais du prince, habillés de costumes écarlate et or. Quand ce fut fini, une fanfare de trompettes éclata, venue de l'intérieur. Un prélude joyeux fut joué par les musiciens sur l'eau; deux dignitaires portant des bâtons blancs s'avancèrent lentement et majestueusement devant le portail. Ils furent suivis par un officier portant la masse, emblème de la cité, après quoi suivirent une autre personne qui portait les clés de la ville, plusieurs sergents de la garde civile dans leurs plus beaux atours, le porteur de la Jarretière royale dans son carrosse particulier, plusieurs chevaliers de l'Ordre du Bain montrant leurs manchettes de dentelle blanche, des écuyers, des juges portant de grands chapeaux et des robes rouge vif, le Grand Chancelier d'Angleterre dans sa robe cramoisie ouverte sur le devant et surfilée d'argent. Une députation de bourgmestres défila ensuite, suivie des représentants des différentes entreprises publiques dans leurs uniformes. Vinrent à présent douze gentilshommes français qui descendirent les marches, splendidement habillés de pourpoints de damas blanc strié d'or, de manteaux courts de velours cramoisi rayé de taffetas violet, de culottes de couleur chair. Ils escortaient l'ambassadeur de France et furent suivis de douze cavaliers qui accompagnaient l'ambassadeur d'Espagne, vêtus de velours noir sans aucun ornement. Après eux passèrent plusieurs personnes de la haute noblesse anglaise avec leur suite.

Il y eut une fanfare de trompettes à l'intérieur. Hertford, le futur grand duc de Somerset, émergea à son tour, habillé d'un manteau noir damassé d'or, une cape de satin cramoisi avec des fleurs d'or et des rubans quadrillés d'argent. Il fit demi-tour, ôta son chapeau à plumes, se courba en une profonde révérence, et descendit les marches à reculons, faisant une révérence à chaque marche. Puis une sonnerie prolongée de trompettes se fit entendre et une voix proclama :

— Faites place au haut et puissant seigneur Édouard, prince de Galles !

Au loin, là-haut, sur les murs du palais, une longue ligne de langues de flammes rougeoyantes fusa dans un tonnerre de canons. La foule massée au bord du fleuve poussa des clameurs de bienvenue et Tom Canty, cause et héros de cette manifestation, apparut, inclinant légèrement sa tête princière.

Il était magnifiquement revêtu d'un pourpoint de satin blanc, à l'empiècement pourpre semé de diamants et bordé d'hermine, le tout recouvert d'un manteau de brocard d'or, brodé de l'emblème à trois plumes. Le manteau, également doublé de satin bleu et constellé de perles et de pierreries, était maintenu en place à l'aide d'une broche en brillants. À son cou pendaient l'Ordre de la Jarretière et plusieurs décorations étrangères. Il se tenait sur la plus haute marche du perron, et les milliers de lumières braquées sur lui le rendaient si resplendissant que ceux qui le contemplaient avec avidité en étaient pour ainsi dire aveuglés. Tom Canty, né dans un taudis, élevé dans les gouttières de la cité de Londres, habitué des haillons, de la crasse et de la misère, offrait maintenant aux yeux de Londres tout un spectacle!

CHAPITRE X

John Canty avait emporté le vrai prince vers Offal Court, une foule bruyante et ravie sur les talons. Il ne se trouva qu'une seule personne pour plaider la cause du prisonnier, et cette personne ne fut pas écoutée. Le tumulte était tel que la voix se perdit, étouffée.

Le prince continua à se débattre pour se libérer, enragé du traitement qu'on lui faisait subir, jusqu'au moment où John Canty perdit le peu de patience dont il était capable et leva son gourdin de chêne avec une explosion de fureur au-dessus de la tête du prince. L'unqiue personne qui plaidait pour le prince bondit en avant pour arrêter le bras de l'homme et reçut le coup sur son propre poignet. Canty se mit à rugir :

— Tu te mêles de ce qui ne te regarde pas, pas vrai ? Voilà ta récompense !

Le gourdin s'abattit sur la tête de l'indiscret. On entendit un cri d'horreur, suivi d'un gémissement, puis une silhouette indistincte tomba à terre parmi les piétinements, gisant aussitôt seule dans l'obscurité : la foule, nullement dégrisée par cet épisode, s'était dispersée.

À la fin, le prince se retrouva dans le logis de John Canty, la porte fermée au nez des tiers. À la faible lueur d'une pauvre chandelle fichée dans une bouteille, il découvrit les grandes lignes de cette hideuse tanière et de ses occupants. Deux jeunes filles sales, crasseuses et dépeignées s'étaient réfugiées dans un coin de la pièce auprès d'une femme encore jeune. Elles se pressaient contre le mur avec l'air d'animaux habitués aux mauvais traitements et paraissaient attendre une terrible pluie de coups. D'un autre coin jaillit une sorcière parcheminée aux cheveux gris dénoués et au regard mauvais. John Canty s'adressa à celle-ci :

— Bouge pas ! Je vais te faire voir un drôle de spectacle, la vieille. Attends une minute, et après tu pourras avoir la main lourde tant que tu voudras. Avance, garçon. Viens débiter encore tes âneries, si tu oses encore. Allez, dis ton nom. Dis qui tu es.

Sous l'insulte, le petit prince sentit le sang lui monter aux joues. Il regarda l'homme avec indignation, fixement, et répondit :

— Votre conduite est inqualifiable, vous n'avez pas à me donner d'ordres. Je vous répète ce que je vous ai déjà dit. Je suis Édouard, prince de Galles. Je vous ordonne de me conduire immédiatement au palais. Faut-il tout vous répéter ?

La sidérante étrangeté de cette réplique cloua sur place la sorcière et lui coupa presque la respiration. Elle considéra le prince avec un ahurissement stupide qui amusa si fort son vaurien de fils qu'il en poussa des rugissements de joie. Mais l'effet que cela produisit sur la mère et les sœurs de Tom fut différent. La peur d'être battues fit place aussitôt à une autre sorte de détresse. Elles lisaient déjà le sort qui l'attendait dans les yeux menaçants de la vieille et de son fils. Elles se précipitèrent vers lui avec des visages désolés, s'exclamant :

— Oh, mon pauvre Tom ! Mon pauvre petit !

La mère tomba à genoux devant le prince, posa les mains sur ses épaules et regarda avidement son visage avec des yeux qui commençaient à s'emplir de larmes. Elle dit alors :

— Oh ! mon pauvre enfant ! Tes folles lectures ont fini par emporter ton intelligence. Ah ! pourquoi t'ai-je laissé faire à ta tête ! s'écria-t-elle, désemparée.

Le prince la regarda dans les yeux et répondit avec douceur :

— Votre fils va très bien, il n'a pas perdu l'esprit, bonne dame. Séchez vos larmes. Conduisez-moi au palais où il se trouve. Le roi mon père vous le rendra au plus vite.

— Le roi ton père ! Oh, mon enfant ! Retire ces paroles qui t'apporteront la mort et feront la ruine de ton entourage. Rejette ce rêve hideux, fais revenir ta pauvre mémoire qui bat la campagne. Regarde-moi. Ne suis-je pas ta mère, celle qui t'a bercé, consolé, et qui t'aime ?

Le prince secoua la tête et dit tristement :

— Dieu sait l'horreur que cela me fait de vous blesser ; mais pour dire vrai, de ma vie je n'ai vu votre visage.

La femme retomba en position assise sur le plancher et, cachant son visage dans ses mains, s'abandonna aux sanglots et aux plaintes, le cœur brisé.

— Et en avant le spectacle ! ricana Canty. Hein, mémé, j'avais bien raison ? Eh bien quoi, Nan ! Eh bien quoi, Bet ! Femelles sans manières, voulez-vous bien vous lever en présence du prince ? À genoux, drôlesses, et présentez-lui vos respects !

À nouveau son rire sarcastique résonna comme un hennissement. Les filles se mirent timidement à plaider la cause de leur frère. Nan dit :

— Si vous ne vous y opposez, mon père, mettons-le au lit. Peut-être le repos guérira-t-il son mal ? Je vous en supplie…

— Je vous en prie, mon père, appuya Bet, il est épuisé au-delà de ses forces. Demain il sera à nouveau lui-même, il ira mendier comme il faut. Il ne reviendra pas les poches vides comme aujourd'hui.

À cette remarque, le père se rembrunit, et son esprit revint aux choses pratiques. Il se retourna avec colère vers le prince :

— Demain nous devons lui payer deux pennies, à celui-là qui nous loue ce trou. Deux pennies, tu as bien entendu ? Tout ça pour une demi-année de loyer, faute de quoi il nous faudra partir d'ici. Et c'est toi qui en seras la cause, paresseux, vaurien que tu es.

Le prince recula avec dégoût :

— Vos propos ne m'inspirent rien de bon. Épargnez-moi ces affaires sordides. Je vous le redis, je suis le fils du roi.

Un coup résonna: la large main du père avait frappé l'épaule du prince et l'avait envoyé trébuchant dans les bras de la mère de Tom, qui le serra contre sa poitrine et l'abrita d'une grêle de gifles et de mauvais traitements en interposant sa propre personne.

Les filles apeurées reculèrent dans leur coin. La grand-mère, quant à elle, se précipita pour venir à la rescousse de son fils. Le prince s'échappa des bras qui l'emprisonnaient généreusement, s'exclamant:

— Vous ne souffrirez pas pour mon compte, madame. Laissez ces brutes assouvir leur fureur sur moi seul.

Ce discours exaspéra les brutes à un point tel qu'ils se mirent à l'œuvre sans perdre une minute. À eux deux ils traitèrent le garçon de fond en comble. Le pauvre enfant passa comme une balle de main en main. Quand il ne lui resta plus une place sur le corps qui n'eût été criblée de coups, ses bourreaux infligèrent ensuite une raclée aux deux filles et à la mère pour avoir manifesté de la sympathie à la victime.

— Et maintenant, dit Canty, tous au lit. Assez joué, je suis fatigué.

La lumière s'éteignit et chacun se retira. Dès que les ronflements du chef de famille et de la grand-mère firent voir qu'ils étaient endormis, les filles rampèrent vers la place où gisait le prince et le protégèrent du froid en le recouvrant tendrement de paille et de chiffons. La mère rampa vers lui elle aussi, lui caressa les cheveux, pleura sur lui, ne cessant de chuchoter des paroles entrecoupées de réconfort et de compassion dans son oreille. Elle avait de plus mis de côté un peu de nourriture pour lui, mais la raclée lui avait ôté tout appétit – du moins pour ces rognures insipides et peu ragoûtantes. Il était touché du courage avec lequel cette mère prenait sa défense, courage qui allait lui coûter cher, touché de la compassion qu'elle osait lui témoigner, et il la remercia, dans un vocabulaire noble et princier, la suppliant de retourner dormir et de tenter d'oublier ses peines. Il ajouta aussi que le roi son père ne laisserait pas sans récompense la bonté, le dévouement et la loyauté dont elle avait fait preuve. Cette rechute de son fils dans la maladie mentale brisa à nouveau le cœur de la mère qui le serra contre sa poitrine encore et encore et retourna enfin, inondée de larmes, vers sa paillasse.

Tandis qu'elle gisait étendue en proie à ses pensées et à son deuil, l'idée s'insinua dans son esprit qu'un je-ne-sais-quoi indéfinissable de ce garçon n'existait pas chez Tom Canty, qu'il fût fou ou sain d'esprit. Elle ne pouvait le préciser, elle ne pouvait dire ce que c'était, et pourtant son instinct aigu de mère semblait l'avoir détecté et le percevoir. Et si ce garçon n'était effectivement pas son fils? Oh, quelle absurdité! Cette idée la fit presque sourire, en dépit de sa peine et de ses tourments. N'importe, elle ne pouvait se résoudre à repousser entièrement cette idée qui hantait son cerveau. Enfin, elle comprit qu'elle ne connaîtrait plus la paix tant qu'elle n'aurait pas conçu un stratagème qui lui ferait savoir avec certitude, clairement, incontestablement, si ce garçon était ou non son fils, un stratagème qui lui permettrait de bannir ces doutes épuisants. Oui, c'était assurément là son seul remède possible. Elle devait appliquer toute son intelligence à concevoir ce stratagème. Seulement, c'était plus facile à dire qu'à faire. Elle rumina dans sa tête différents plans les uns après les autres mais dut à chaque fois y renoncer. Quel était le signe infaillible auquel elle reconnaîtrait Tom ? Elle passa successivement en revue tous les indices potentiels, mais les élimina l'un après l'autre avec regret car aucun n'était absolument sûr. Et si le stratagème n'était pas parfait il ne pouvait faire l'affaire. De toute évidence c'était en vain qu'elle se creusait la tête, il était clair qu'elle devait renoncer à son entreprise. Elle déshabillait Tom dans sa pensée et parcourait mentalement son corps à la recherche d'un signe particulier, d'un geste accoutumé. Tandis que ces idées moroses lui traversaient l'esprit, son oreille capta la respiration régulière du garçon et elle sut qu'il s'était endormi. Et tandis qu'elle écoutait, cette respiration égale fut brisée par un cri étouffé, pareil à celui qu'on laisse échapper lors d'un mauvais rêve. Cet événement fortuit lui fournit aussitôt l'idée d'un plan qui à lui seul valait la combinaison de tous les précédents. Le hasard venait enfin de la mettre sur la bonne voie.

Elle se redressa, fiévreusement, mais sans bruit, pour entreprendre de rallumer sa chandelle, marmottant pour elle-même, «Même sans l'avoir vu à ce moment-là, j'aurais dû le savoir ! Depuis ce jour où il était petit et où la poudre lui a éclaté en plein visage, il n'a jamais été réveillé en sursaut ou tiré brusquement de ses pensées sans instinctivement mettre ses mains devant ses yeux comme il le fit alors et comme nul autre que lui ne le ferait, la paume non pas tournée vers soi mais, à chaque fois, tournée vers l'extérieur – je l'ai vu cent fois, invariablement, jamais il n'y a manqué. Oui, je serai fixée très bientôt.»

Entre-temps elle avait rampé vers le garçon endormi, abritant la chandelle de sa main. Elle se pencha doucement au-dessus de lui, respirant à peine, refoulant son excitation et tremblant d'émotion et de peur. Tout à coup, elle braqua la lumière vers son visage et martela le plancher tout près de ses oreilles. Les yeux du dormeur s'ouvrirent tout grands et il promena un regard étonné autour de lui – mais ses mains ne firent aucun mouvement particulier. La pauvre femme demeura frappée de stupeur.

La malheureuse femme étouffait quasiment d'une surprise et d'un chagrin qu'elle ne pouvait maîtriser, mais elle s'efforça de dissimuler ses émotions et de calmer le garçon en lui disant de se rendormir. Puis elle rampa de côté et soliloqua sans bruit sur l'effrayant résultat de ses expériences. Elle tenta de se persuader que la folie de Tom avait fait disparaître son geste accoutumé mais elle ne put y parvenir. « Non, se dit-elle, ses *mains* ne sont pas folles, elles n'ont pas pu désapprendre un geste coutumier en si peu de temps. Ah! que je suis malheureuse et quelle dure épreuve ! »

Pourtant, un espoir subsistait, aussi obstiné que le doute qui l'avait précédé. Elle ne pouvait se résoudre à accepter le résultat de son test, il fallait qu'elle le tente une fois de plus. Cet échec devait être accidentel… si bien qu'elle tira le garçon de son sommeil une seconde fois, puis une troisième, à différents moments – pour un résultat toujours identique : il remuait les paupières, la tête, mais jamais les mains. Elle se força enfin à regagner son lit et tomba endormie, fort malheureuse et se répétant : « Mais je ne peux pas abandonner tout espoir – oh non, je ne peux renier mon fils –, il *faut* que ce soit mon enfant ! »

Quand il cessa d'être importuné par les essais de la malheureuse mère, et comme ses douleurs s'étaient petit à petit adoucies assez pour ne plus le troubler non plus, la pure fatigue scella à la fin les paupières du prince en un sommeil profond et réparateur. Quatre ou cinq heures s'écoulèrent ainsi. Son état de stupeur commença à s'éclaircir. À la fin, mi-éveillé, mi-endormi, il murmura :

— Sir William !

Un moment après :

— Hé ! Sir William Herbert ! Venez écouter le plus étrange rêve que j'aie jamais… Sir William ! M'entendez-vous ? Imaginez-vous que je croyais vraiment que j'étais devenu un pauvre hère et que… Hé là ! Gardes ! Sir William ! Quoi ? Pas un seul laquais dans cette chambre ? Voilà qui va tourner mal quand…

— Qu'as-tu ? chuchota-t-on près de lui. Qui c'est que tu appelles ?

— Sir William Herbert. Qui êtes-vous ?

— Moi ? Qui veux-tu que je sois ? Je suis ta sœur Nan ! Oh, Tom, j'avais oublié ! Tu es encore fou… Mon pauvre garçon, tu es encore fou ! Pourquoi me suis-je réveillée pour vivre cela encore une fois ? Mais je t'en supplie, tiens ta langue, ou nous serons battus à mort !

La surprise fit se lever à demi le prince, mais un élancement douloureux de ses meurtrissures coagulées le rappela à lui-même et il retomba sur sa paille grossière, gémissant et s'exclamant :

— Hélas ! Donc ce n'était pas un rêve !

Aussitôt, tout le poids de la peine et de la misère que le sommeil avait effacées fut à nouveau sur lui. Il se rendit compte de toute l'horreur de son sort et il prit conscience qu'il n'était plus le prince adulé qui vivait dans un palais, les yeux de la nation fixés sur lui avec adoration, mais un pauvre, un exclu, vêtu de haillons, prisonnier dans une tanière de bêtes sauvages, en compagnie de mendiants et de voleurs.

Tandis qu'il se désolait, il perçut le bruit de cris et de rires qui lui paraissaient monter dans l'escalier et s'approcher de la chambre où il était couché. Puis il y eut plusieurs coups violents à la porte. John Canty cessa subitement de ronfler et demanda :

— Qui frappe ? Que voulez-vous ?

Une voix répondit :

— Savez-vous qui a donné hier soir un coup de gourdin à un homme qui se trouvait sous votre fenêtre ?

— Non, je ne le sais ni ne m'en soucie.

— Prenez garde, vous pourriez avoir à changer de ton très bientôt… On recherche cet individu car la victime est sur le point de rendre l'âme. De plus, il s'agit d'un prêtre, c'est le père André.

L'homme derrière la porte tourna les talons et se dirigea chez le voisin.

— Misère de nous ! s'exclama Canty.

Il fit lever sa famille et leur commanda d'une voix rauque :

— Debout et fuyez, ou restez où vous êtes et c'est votre perte !

En moins de cinq minutes la famille Canty était dans la rue et avait pris ses jambes à son cou. John Canty tenait le prince par le poignet et le forçait d'avancer dans l'obscurité, le menaçant à voix basse :

— Tiens ta langue, tout fou que tu es, ne révèle pas notre nom. Je vais me choisir un autre nom au plus vite pour détourner les chiens qui sont sur notre piste. Je te conseille de te taire !

Il grommela à l'adresse du reste de la famille :

— Si par hasard nous étions séparés, rendez-vous sous le pont de Londres. Celui qui atteindra le premier la dernière boutique de drapier au bout du pont attendra là jusqu'à l'arrivée des autres, et après nous fuirons ensemble vers Southwark.

À ce moment, le groupe déboucha tout à coup de l'obscurité et se retrouva au cœur d'une multitude de gens qui dansaient, chantaient et criaient, massés au bord du fleuve. Une enfilade de feux de joie s'étirait aussi loin que portait le regard, en amont et en aval de la Tamise. Le pont de Londres était illuminé, le pont de Southwark aussi. Le fleuve rougeoyait tout entier d'étincelantes lumières colorées. Les détonations ininterrompues des feux d'artifice emplissaient le ciel dans un entremêlement compliqué de fulgurances et d'éclats, les étincelles crépitantes pleuvaient et faisaient presque la nuit plus lumineuse que le jour. Partout, l'on observait des réjouissances et des foules, les gens allant bras dessus, bras dessous. Tout Londres semblait s'être déversé à cet endroit.

John Canty immobilisa sa course furieuse et ordonna de reculer, mais il était trop tard. Lui et sa tribu furent engloutis par la ruche humaine vrombissante et séparés instantanément les uns des autres sans issue possible. John Canty tenait toujours le prince aussi fermement. L'espoir de s'échapper faisait maintenant battre le cœur du garçon. Un porteur d'eau jovial, notablement échauffé par l'abus des liqueurs, se fit bousculer violemment par Canty qui tentait de disparaître dans la foule. Il posa sa grosse main sur l'épaule de Canty et lui dit:

— Arrête, où files-tu si vite, mon ami? Tu dois tramer de bien sordides affaires pour te pousser ainsi alors que tous les sujets du roi font la fête?

— Mes affaires sont mes affaires, elles ne vous concernent pas, répondit Canty sur un ton assez rude. Ôtez votre main et laissez-moi passer.

— Puisque vous le prenez sur ce ton, *vous ne passerez pas*, pas avant d'avoir bu à la santé du prince de Galles, voilà ce que je dis moi, rétorqua le porteur d'eau, barrant résolument la route.

— Soit, qu'on me passe une coupe alors, et vite, s'impatienta Canty.

D'autres badauds en liesse commençaient à s'intéresser à ce qui se passait. Ils crièrent:

— Faites-lui boire le gobelet d'amour à ce grincheux, ou on l'envoie nourrir les poissons.

Si bien qu'un énorme «gobelet d'amour» fut apporté. Le porteur d'eau tenant une anse d'une main, et de l'autre pinçant l'extrémité d'une serviette imaginaire, le présenta en bonne et due forme suivant le rite traditionnel. Canty devait saisir la deuxième anse d'une main et soulever le couvercle de son autre main comme l'exigeait la coutume. Cela libéra la main du prince une seconde, bien sûr. Il ne perdit pas de temps et plongea dans la forêt de jambes qui l'entourait. Dans la seconde qui suivit, il eût été aussi facile de le retrouver que de repérer une pièce de monnaie au fond de l'océan Atlantique.

Il en prit conscience aussitôt et du coup prit en main ses propres affaires sans plus se soucier de John Canty. Il se rendit vite compte d'une autre chose aussi. Il était clair qu'un faux prince de Galles se faisait fêter par la cité de Londres à sa place. Il lui fut facile d'en conclure que le petit pauvre, Tom Canty, avait délibérément exploité la situation où un sort extraordinaire l'avait jeté, et était devenu un usurpateur.

En conséquence, il n'avait plus qu'une seule voie à suivre: trouver comment rejoindre le chemin du Guildhall, courir jusqu'à l'hôtel de ville où se tenait le banquet du maire, se faire connaître et dénoncer l'imposteur. Le prince, furieux de l'audace de Tom Canty, pensait à part lui: «Il ne perd rien pour attendre, celui-là. Aussitôt qu'il sera démasqué, il sera pendu, roué et écartelé, suivant la loi en vigueur pour haute trahison.»

CHAPITRE XI

La barque royale escortée de sa flotte somptueuse commença à redescendre lentement la Tamise au sein d'une jungle d'embarcations illuminées. L'air était chargé de musique, les rives hérissées de feux de joie. La ville au loin baignait dans une lueur rouge et douce due à une infinité d'illuminations invisibles. Au-dessus jaillissaient vers le ciel maintes spirales légères crépitantes de lumières, semblables, vues de loin, à des lances incrustées de pierreries. En avançant, la flotte était accueillie depuis les deux rives par des hourras rugis sans fin jusqu'à l'enrouement et les éclairs et détonations incessants de l'artillerie.

Pour Tom Canty, à demi enfoui dans ses coussins de soie, ces sons et ce spectacle étaient un émerveillement indescriptible, sublime, stupéfiant. Pour ses petites amies à ses côtés, la princesse Élisabeth et Lady Jane Grey, tout cela était insignifiant.

Arrivés à Dowgate, qui était la porte de la cité, la flotte fut remorquée tout au long du canal Walbrook (dont le cours est maintenant enterré sous des kilomètres carrés d'édifices), jusqu'à Bucklersbury, dépassant des maisons et passant sous des ponts tellement grouillants d'une foule en liesse qu'ils menaçaient de s'effondrer, et vint enfin arrêter sa course dans le bassin où est maintenant Barge

Yard, au centre de la partie ancienne de Londres. Tom débarqua, lui et son élégante escorte traversèrent Cheapside et marchèrent quelques minutes, empruntant le vieux quartier juif et la rue de Basinghall jusqu'au Guildhall.

Tom et les jeunes dames qui l'accompagnaient furent reçus en grande cérémonie par le maire et les Anciens de la cité de Londres, avec leurs chaînes d'or et leurs uniformes écarlates, et on les conduisit vers une riche estrade officielle élevée au bout du grand hall. Devant eux marchaient les hérauts proclamant leur arrivée, précédés par des seigneurs portant les armoiries de la Cité. Les seigneurs et les nobles dames qui devaient servir Tom et ses deux menues compagnes prirent place derrière leurs chaises.

À une table secondaire les grands de la cour et autres convives de haute extraction étaient assis, avec les notables de la ville. Les gens du commun s'installèrent à une multitude de tables au rez-de-chaussée. Du haut de leurs socles dans les hauteurs, les géants Gog et Magog, antiques gardiens de la Cité, contemplaient le spectacle au-dessous d'eux avec des yeux blasés mais bienveillants. Il y eut une sonnerie de clairons suivie d'une proclamation, puis un grassouillet maître d'hôtel fit son apparition en haut du mur de gauche, escorté par ses serviteurs qui portaient avec une solennité saisissante une immense pièce de viande fumante, prête à être découpée en surlonge.

Après les grâces, Tom, se conformant aux instructions qu'il avait reçues, se leva – et tous les convives avec lui –, il but une gorgée d'un majestueux gobelet d'amour avec la princesse Élisabeth, puis le fit passer à Lady Jane et de là à toute l'assemblée. Ensuite commença le banquet.

À minuit les réjouissances furent à leur comble. Alors se produisit un de ces spectacles pittoresques qui amusaient autrefois les nobles mais qui suscitent peu d'intérêt aujourd'hui.

Un baron et un comte vêtus à la turque pénétrèrent cérémonieusement dans la salle. Deux immenses sabres pendaient à leur ceinture de leur longue robe orientale. À leur suite venaient d'autres lords, également habillés de costumes en satin rayés jaune et blanc. Toute une procession bigarrée de chevaliers et de gentilshommes les accompagnait, vêtus d'habits à la mode des Prusses, des Maures, des Russes. Une centaine de porte-torches firent ensuite irruption dans la salle, puis des musiciens déguisés s'introduisirent en accompagnant des personnages qui exécutaient des mimes étranges. À ce signal, toute l'assemblée de gentilshommes, de dames, de notables et de dignitaires entra en mouvement. La gravité qui avait régné jusqu'alors fit place à une gaieté généralisée où chacun rivalisait d'entrain.

Tom, du haut de son siège, contemplait cette danse sauvage, éperdu d'admiration devant l'éblouissant entremêlement de couleurs kaléidoscopiques présenté par la roue tournoyante de danseurs aux silhouettes voyantes. Pendant ce temps, devant les grilles du palais, le vrai prince vêtu de haillons proclamait bien fort ses droits et ce qu'il avait subi, dénonçait l'imposteur, exigeait qu'on le laisse entrer et menaçait de mort quiconque lui résistait. La populace qu'amusait prodigieusement cet épisode se bousculait et se penchait pour apercevoir le petit émeutier. Enfin elle se mit à le contrefaire et à se moquer de lui, cherchant délibérément à exciter davantage encore sa divertissante fureur. Des larmes d'humiliation lui montèrent aux yeux mais il tint bon et défia la foule avec une majesté toute royale. On le taquina encore, d'autres railleries le piquèrent au vif, tandis qu'il s'écriait :

— Je vous le redis, je suis le prince de Galles ! Tout désespéré que je sois, je ne céderai pas d'un pouce, je tiendrai bon ! Ah ! s'écria-t-il, au désespoir, pourquoi ne puis-je trouver un seul ami qui m'appuie et me donne raison ?

— Prince ou pas prince, vous êtes tout de même un vaillant garçon, intercéda enfin un homme parmi la foule. Et vous ne serez pas sans amis, je me tiendrai ici à vos côtés pour le prouver. Remarquez, vous pourriez rencontrer pire, soyez-en certain, qu'un ami comme Miles Hendon, sans fatiguer longtemps vos jambes à le chercher. Donnez un peu de repos à vos jeunes mâchoires, petit enfant, je sais parler le langage de cette niche à rats comme si j'y étais né.

L'orateur ressemblait à une sorte de pauvre seigneur espagnol, tant par son costume, son aspect, que sa manière de se carrer. Il était grand, bien bâti et musclé. Son manteau et son sac étaient coûteux, mais usés jusqu'à la corde, et leurs dorures tristement ternies. Sa fraise était froissée et abîmée, la plume de son chapeau déformé était cassée et lui donnait un air déguenillé et peu engageant. Au côté, une longue rapière pendait dans un fourreau rouillé et sa façon de se mouvoir dénotait immédiatement le soldat en vadrouille. Le discours de ce fantastique personnage fut accueilli par une explosion de rires et de railleries. On cria :

— Voilà encore un prince déguisé !

— Tiens ta langue, camarade, on dirait qu'il est dangereux celui-là !

— C'est qu'il en a bien l'air! Regarde ses yeux!

— Qu'on lui prenne l'enfant! Dans la mare avec le gamin!

Aussitôt une main se posa sur le prince, sous l'effet de cette géniale inspiration. Tout aussi instantanément, la longue épée de l'étranger jaillit de son fourreau et l'indiscret se retrouva à terre, abattu violemment du plat de la lame. À l'instant, une vingtaine de voix hurlèrent:

— À mort ce chien! Tuez-le! Tuez-le!

La populace cerna le soldat, qui s'adossa à un mur et se mit à faire tournoyer son arme comme un fou. Quiconque approchait de trop près recevait un coup d'estoc qui le mettait hors de combat. Ses victimes furent envoyées valser de tous côtés, mais le flot montant de la cohue continuait de se lancer à l'assaut du champion avec une furie qui ne diminuait pas. Ses moments semblaient comptés et sa perte certaine lorsque soudain éclata un appel de trompettes, une voix annonça:

— Place! Place au messager du roi!

Une troupe à cheval chargea la foule des assaillants qui s'enfuirent pour se mettre à l'abri aussi vite que leurs jambes pouvaient les porter. Le hardi inconnu prit le prince dans ses bras et se retrouva bientôt fort loin du danger et des agresseurs.

Au même moment, à l'intérieur du Guildhall, un clairon retentit et changea aussitôt les danseurs en statues silencieuses. On entendit des «Chut!» et des murmures d'étonnement. L'assemblée attendait, debout, inquiète. Alors, une voix grave et solennelle s'éleva – celle d'un messager du palais – et elle prononça lentement ces paroles :

— Le roi est mort.

La large assemblée baissa la tête, d'un mouvement unanime. Les gens restèrent ainsi, dans un silence absolu, quelques instants, puis tous en chœur se laissèrent tomber à genoux, tendirent les mains vers Tom, et poussèrent une puissante clameur qui sembla ébranler tout l'édifice :

— Vive le roi !

Les yeux égarés du malheureux Tom parcoururent ce stupéfiant spectacle, se posant rêveusement pour finir sur les princesses agenouillées à ses côtés, y restant un instant, puis remontant vers le comte d'Hertford. Tout à coup il eut un but, son visage s'éclaira. Il chuchota à l'oreille de Lord Hertford :

— Dites-moi la vérité, sur votre honneur, sur votre foi ! Si je donnais un ordre, de ces ordres que seuls les rois ont le privilège et la prérogative d'émettre, cet ordre serait-il obéi, sans personne pour se lever et me dire non ?

— Personne, ô mon suzerain, personne dans tous les royaumes environnants. C'est vous le roi ; votre parole est la loi.

Tom répliqua, d'une voix vibrante, sérieuse, avec beaucoup de vivacité :

— Alors la loi du roi sera une loi de miséricorde, à partir d'aujourd'hui, plus jamais une loi sanglante ! Debout ! Sortez ! Droit à la tour de Londres, et faites savoir que par l'ordre du roi le duc de Norfolk ne mourra pas !

Ces paroles furent perçues et circulèrent vivement de bouche en bouche jusqu'au fin fond du hall, et tandis que Hertford tournait les talons, une autre clameur prodigieuse s'éleva :

— Le règne sanglant est fini ! Vive Édouard, roi d'Angleterre !

CHAPITRE XII

Dès que Miles Hendon et le jeune prince furent débarrassés de la populace, ils redescendirent les ruelles et revinrent vers le fleuve. Ils arrivèrent sans embûches aux abords du pont de Londres, et là ils se retrouvèrent à nouveau parmi la foule. Hendon tenait toujours fermement le prince – ou plutôt le roi – par le poignet. La prodigieuse nouvelle s'était déjà répandue partout, et l'enfant l'apprit de mille voix à la fois :

— Le roi est mort !

Le cœur du petit orphelin se glaça il frissonna de la tête aux pieds. Il prit conscience de l'immensité de cette perte. Son chagrin était des plus amers, car le sombre tyran qui avait terrorisé tout son peuple s'était toujours montré vis-à-vis de lui plein de douceur. Les larmes jaillirent de ses yeux, brouillant tous les objets qui l'entouraient. Pendant quelques minutes il se sentit le plus déshérité, le plus abandonné, le plus désolé des enfants de la terre.

Soudain, un autre cri fit trembler la nuit et se répercuta en roulements de tonnerre :

— Vive le roi Édouard VI !

Du coup ses yeux étincelèrent, il se réveilla de sa torpeur et l'orgueil l'envahit jusqu'au bout des ongles. «Ah, songea-t-il, quelle impression vaste et extraordinaire... Me voilà roi! » Il tressaillait comme s'il venait de prendre possession en cet instant même de son sceptre et de sa couronne.

Nos amis progressèrent lentement à travers la foule et s'engagèrent sur le pont de Londres. Cet édifice, datant à cette époque de plus de cinq cents ans, toujours bruyant et achalandé, était un des endroits les plus surpeuplés de la ville. Un rang serré de boutiques surmontées d'appartements familiaux s'étirait sur chaque côté, d'une rive du fleuve à l'autre. Le pont était quasiment une ville à part entière. Il comportait une auberge, des tavernes, des boulangeries, des merceries, des marchés, des ateliers, et même une église. On y observait un fouillis le plus complet, un entassement d'hommes et de marchandises. Il regardait de haut ses deux voisins qu'il reliait l'un à l'autre, Londres et Southwark, qui passaient pour des banlieues comparativement à lui. C'était pour ainsi dire une cité étroite à rue unique d'un demi kilomètre de long, peuplée comme un village, où chaque habitant connaissait intimement les autres. Elle avait son aristocratie, bien sûr: ses bonnes et antiques familles de bouchers, de boulangers et autres métiers, qui vivaient là depuis cinq ou six cents ans et savaient tout de l'histoire du pont et de ses mirifiques légendes. Les gens qui y vivaient parlaient du pont, pensaient pont, mentaient avec un aplomb et une assurance dignes du pont. C'était l'incarnation même d'une population à l'esprit étroit, ignorant, et vaniteux. Des enfants naissaient sur le pont, y grandissaient, y vieillissaient et finalement y mouraient sans avoir jamais posé le pied ailleurs que sur le pont, passant leur vie suspendus entre deux rives. Il était donc fort naturel que, pour les habitants du pont qui se prenaient en quelque sorte pour les propriétaires du monument, cette bruyante et interminable procession qui déambulait nuit et jour devant leur porte dans une confusion de cris, de glapissements, d'abois, de hennissements, de bêlements et de piétinements, était le seul événement digne d'intérêt à se produire dans ce monde. Cet orgueil éclatait surtout les jours où le roi ou un autre grand personnage donnait une fête sur le fleuve. Alors, les gens de la place s'attroupaient à leurs fenêtres, et il n'y avait pas de meilleur observatoire dans tout Londres d'où l'on pouvait contempler, admirer, dominer et voir défiler les cortèges de barques richement décorées.

Les personnes nées et élevées sur le pont trouvaient que la vie était d'un ennui et d'un vide insupportables ailleurs. Ce sentiment de dépaysement était d'ailleurs le sujet d'une légende, connue de tous les habitants du pont. Celle-ci racontait l'histoire d'un homme âgé de soixante-douze ans qui avait quitté le pont et s'était retiré à la campagne. Le vieil homme n'arrivait guère à trouver le repos tant le profond silence environnant était douloureux, oppressant, horrible. Il ne réussissait pas à dormir, se tournant et se retournant dans son lit. Quand il en eut assez, il finit par voler droit à son ancien logis, amaigri, hagard, spectral, et s'allongea paisiblement pour se reposer et faire de beaux rêves, bercé par la musique des flots lancinants, des détonations, des effondrements et des roulements de tonnerre du pont de Londres.

À cette époque, le pont n'était pas seulement intéressant, il instruisait aussi les gens sur l'histoire de l'Angleterre, sous la forme de têtes livides et pourrissantes d'hommes célèbres empalés sur des piques au sommet de ses grilles. Ce spectacle donnait au peuple une notion sensible de la justice et de la puissance royales.

Hendon logeait depuis quelques jours dans une petite auberge sur le pont. Alors qu'il en gagnait la porte avec son jeune compagnon, une voix rude se fit entendre :

— Ah! te voilà enfin! Tu ne m'échapperas une fois de plus, je te le garantis! Lorsque j'aurai terminé de réduire tes os en poudre, il te sera impossible de nous faire attendre et poireauter comme tu viens de le faire.

Sur ce, John Canty avança la main pour saisir l'enfant.

Miles Hendon s'interposa :

— Pas si vite, mon ami. Tu parles avec une rudesse à mon sens sans objet. Que lui veux-tu, à cet enfant?

— Si c'est de tes oignons de fourrer ton nez dans les affaires des autres, c'est mon fils.

— Vous mentez! s'écria le jeune roi avec véhémence.

— Bravement parlé, et je te crois, petit. Mais que ce misérable soit ou non ton père, il ne pourra mettre la main sur toi pour te battre ou te maltraiter comme il menace de le faire, si tu préfères loger chez moi.

— Oh que oui! Je ne le connais pas, je le hais, je mourrai plutôt que de le suivre.

— Alors cela est réglé, rien de plus à en dire.

— C'est ce que nous allons voir! s'écria John Canty, faisant un grand pas en avant pour reprendre le garçon, de gré ou de force.

— Si tu l'effleures seulement, espèce de brute, je t'embroche comme une oie! rétorqua Hendon, lui barrant le chemin et posant la main sur la garde de son épée.

Canty recula.

— Note bien mes paroles, continua Hendon, j'ai pris ce jeune garçon sous ma protection quand une foule de gredins de ton espèce allaient le maltraiter, voire le tuer. T'imagines-tu que je vais maintenant l'abandonner à un sort encore pire? Que tu sois ou non son père – et, à vrai dire, je crois que c'est mensonge –, pour un enfant comme celui-ci, il valait mieux mourir décemment tout de suite que vivre entre des mains aussi brutales que les tiennes. Décampe, et au plus vite! je n'aime pas les ivrognes et la patience n'est pas trop mon fort.

John Canty s'éloigna, sacrant, marmonnant des menaces. Il disparut, englouti par la foule. Hendon gravit l'escalier jusqu'au troisième étage avec son fardeau, après avoir commandé un repas à l'aubergiste. Le logis était pauvre, meublé d'un lit minable et de quelques chaises branlantes et boiteuses, faiblement éclairé par deux chandelles malingres. Le jeune roi se traîna jusqu'au lit et s'y allongea, épuisé de faim et de fatigue. Il était sur pied depuis trente-six heures, car il était maintenant deux ou trois heures du matin et il n'avait rien mangé de la journée. Il murmura, à moitié endormi:

— Réveillez-moi quand le repas sera prêt, je vous prie.

Puis le roi sombra aussitôt dans un profond sommeil.

Un sourire pétilla dans les yeux de Hendon. «Saperlipopette, pensait-il, ce petit clochard s'installe comme chez lui, monopolise le lit, avec naturel et grâce, comme s'ils étaient siens. Pas de "puis-je" ni de "s'il vous plaît", rien de tel. Dans le délire de sa maladie, il s'est dit prince de Galles, et intrépidement il se tient à ce rôle. Pauvre petit, son esprit a sans nul doute été dérangé par les mauvais traitements subis. C'est bon, je serai son ami. Je l'ai sauvé, cela crée un lien solide. J'aime déjà ce garnement. Il faisait face à la meute comme un vrai soldat et il les défiait superbement du regard et du geste. Et quelle belle expression douce et affable il a maintenant que le sommeil a dissipé ses malheurs et ses chagrins. Je serai son professeur. Je guérirai son mal, oui. Je serai son grand frère, je m'occuperai de lui, je veillerai sur lui. Quiconque voudra le salir ou lui nuire peut commander son cercueil. Je le défendrai contre tous, même si on devait pour cela me brûler vif!»

Il se pencha au-dessus de l'enfant et le contempla avec de l'intérêt, de la compassion et de la gentillesse, donnant une petite tape affectueuse sur la jeune joue et lissant, de sa grande main brune, la chevelure bouclée. L'enfant frissonna légèrement. Hendon murmura:

— Voyons, est-ce bien humain de le laisser découvert et de lui faire attraper la mort par des rhumes? Comment faire? Si je le soulève pour le glisser sous les couvertures il va se réveiller. Or, il a un besoin criant de sommeil…

Il chercha du regard d'autres couvertures mais n'en trouvant aucune, il enleva son propre manteau et en enveloppa l'enfant, disant:

— Je suis habitué à l'air vif et à être peu couvert, le froid ne me dérange pas vraiment.

Puis il se mit à aller et venir à travers la chambre pour maintenir sa température, tout en continuant à soliloquer.

— Son esprit affaibli lui fait croire qu'il est le prince de Galles. Ce serait drôle d'avoir le prince de Galles sous ma protection, alors que celui qui était effectivement prince de Galles n'est plus prince mais roi – car sa pauvre tête n'a pas encore compris qu'il pourrait se dire roi maintenant! Quel accueil j'aurais réservé au petit, dans ce domaine dont j'ai été écarté depuis dix ans… Mon frère aîné Arthur et moi lui aurions offert de bon cœur le gîte et le couvert. Mais mon autre frère Hugh, ce lâche, cet ours mal léché, en a décidé autrement. Ah, je trouverai bien un moyen de le forcer, le traître, quitte à lui briser le crâne! Oui, c'est là que je dois aller, et sans tarder!»

Un serviteur entra portant un repas fumant, le déposa sur une table d'appoint, approcha des chaises et se retira, laissant ces clients médiocres se servir eux-mêmes. La porte claqua derrière lui. Le bruit réveilla le garçon qui s'assit brusquement en jetant autour de lui un regard ravi, mais une expression de douleur pointa sur sa face et il murmura pour lui-même:

— Hélas! Ce n'était qu'un rêve. Pauvre de moi!

L'instant d'après il remarquait le manteau de Miles Hendon, promenait son regard du manteau à Hendon, comprenait le sacrifice de celui-ci et disait avec gentillesse:

— Vous êtes bon pour moi, oui, vous êtes très bon pour moi. Prenez-le, remettez-le, je n'en aurai plus besoin.

Puis il se leva, se dirigea pour se laver les mains vers la table de toilette dans un coin et resta là, debout, dans l'attente de la suite. Hendon dit avec jovialité:

— Maintenant on mange un morceau qui va nous faire du bien: tout cela est savoureux et chaud à point. Ajouté à la sieste que tu viens de faire, c'est là de quoi te remettre d'aplomb, sois sans crainte !

Le garçon ne répondit pas mais fixa, d'un air de surprise et de gravité, empreint de quelque contrariété, le grand chevalier et son épée. Hendon, intrigué, dit :

— Qu'y a-t-il ?

— Mon bon monsieur, je voudrais me laver.

— C'est tout ? Morbleu ! Ne demande pas la permission de Miles Hendon quand tu désires quelque chose. Mets-toi à l'aise, sers-toi librement de tout ce qui est ici, tu es le bienvenu.

Cependant l'enfant restait debout et ne bougeait pas. Bien plus, il frappa le sol une ou deux fois de son pied juvénile avec impatience. Hendon ne comprenait pas. Il demanda, perplexe :

— Morbleu ! Qu'y a-t-il donc ? Il te manque quelque chose ?

— Mais enfin, versez-moi cette eau et ne faites pas tant d'exclamations !

Hendon, réprimant un éclat de rire, et murmura tout bas :

— Par tous les saints, voilà qui est admirable !

Il s'avança et se plia avec entrain à cette exigence inattendue. Puis il resta debout derrière lui, saisi d'une sorte de stupeur, jusqu'à ce que le jeune roi ordonne de nouveau :

— Donnez-moi une serviette.

Il s'empara de la serviette – qui était sous le nez de l'enfant et à la portée de ses mains – et la tendit sans commentaires. Puis il se lava la figure à son tour. Pendant ce temps, l'enfant adoptif se mettait à table et se préparait à manger. Hendon finit vite ses ablutions et recula la deuxième chaise pour s'attabler lui aussi quand l'enfant s'exclama avec indignation :

— Arrêtez ! Est-ce qu'on s'assoit devant le roi ?

Ce coup ébranla Hendon jusqu'à la moelle. Il se dit intérieurement : « Voilà que le pauvre petit s'est mis à l'heure. La logique de sa folie s'adapte aux événements en cours et le fait se prendre maintenant pour le *roi* ! Allons, il ne faut pas le contrarier. Pas moyen de faire autrement ou il m'enverra bien à la Tour, ha ! »

Et charmé de cette comédie, il éloigna sa chaise de la table, se plaça en faction derrière le roi, et se mit à le servir avec toute la grâce dont il était capable.

Quand le roi mangea, la raideur de sa royale dignité se relâcha quelque peu, et avec la satiété lui vint un désir de conversation. Il dit :

— Il me semble que vous vous nommez Miles Hendon, si j'ai bien entendu votre nom.

— Oui, sire, répondit Miles.

Et il se dit en son for intérieur : « Si je dois vraiment respecter la folie de ce pauvre enfant, il s'ensuit que je dois l'appeler "sire" et "Votre Majesté". Je ne dois pas faire les choses à moitié, je dois me conformer à mon rôle dans tous ses aspects, faute de quoi je causerai du chagrin à ce pauvre malheureux et je lui échaufferai l'esprit davantage. »

Le roi engloutit un second verre de vin et dit:

— J'aimerais vous connaître... Contez-moi votre histoire. Vous avez un air de vaillance, de noblesse... Au fait, êtes-vous un gentilhomme?

— Nous sommes de petite noblesse, Majesté. Mon père – s'il vit encore – est le baronnet Sir Richard Hendon, de Hendon Hall, près du château des Moines, dans le comté de Kent.

— Ce nom ne m'est pas familier. Continuez, je vous en prie.

— Elle n'a pas grand-chose d'intéressant, Majesté, mais elle peut cependant vous divertir une brève demi-heure, à défaut d'autre distraction. Mon père, Sir Richard, est fort riche et d'un naturel remarquablement généreux. Ma mère est morte lorsque j'étais encore enfant. J'ai deux frères. Arthur, l'aîné, a une âme de la même classe que celle de mon père; Hugh, le plus jeune, a l'esprit mesquin, cupide, traître, vicieux, sournois – un vrai reptile, c'est ce qu'il est depuis le berceau. C'est ce qu'il était encore il y a dix ans, la dernière fois que je l'ai vu: un gredin venu à maturité.

« Il avait dix-neuf ans, j'en avais vingt, Arthur vingt-deux. Lady Edith, ma cousine – une belle, gentille et bonne fille de comte, dernière de sa lignée, héritière d'une fortune considérable et d'un titre qui allait se perdre –, avait alors seize ans. Mon père était son tuteur. Elle m'aimait, je l'aimais, mais elle était fiancée à Arthur depuis le berceau. Sir Richard ne tolérait pas cet écart et n'aurait jamais accepté de rompre le contrat. Arthur aimait une autre jeune fille et nous conseilla d'attendre et d'espérer, disant que le temps et la chance réunis apporteraient quelque jour le triomphe de nos vœux respectifs. Hugh était quant à lui épris de la fortune de Lady Edith, même s'il disait aimer aussi sa personne. C'est ce qu'il a toujours fait : affirmer une chose et en signifier une autre. Mais il perdit sa peine avec cette jeune fille : il pouvait tromper mon père, mais non pas les autres.

« C'était le préféré de mon père qui lui faisait confiance et croyait ce qu'il disait. Il était le plus jeune et ses deux frères ne pouvaient le souffrir, cela avait suffi pour lui garantir la faveur inébranlable de ses parents. Hugh s'exprimait de façon douce et persuasive et il savait admirablement mentir – qualités qui soutiennent et renforcent de plus belle les adorations aveugles. J'en devenais fou – à dire vrai, je me laissais facilement emporter par ma nature vive et querelleuse.

« Mon frère Hugh exploita mes faiblesses – voyant que la santé de notre frère Arthur était peu sûre, et espérant le pire pour en tirer profit si j'étais écarté du chemin, si bien que… Mais c'est une longue histoire, mon bon suzerain, et de peu d'intérêt. En un mot, ce frère grossit adroitement mes faiblesses et en fit des crimes, pour achever ses basses œuvres par la prétendue découverte d'une échelle de soie dans ma chambre – en fait arrivée là par ses soins – et il réussit à convaincre mon père par ce moyen que j'avais l'intention d'enlever Edith et de ne tenir aucun compte de la volonté paternelle.

« Mon père se montra très irrité. Il me chassa de la maison et m'interdit de remettre les pieds en Angleterre avant trois ans. "Trois années d'exil feront de toi un soldat et un homme, dit mon père, et te donneront un peu de sagesse." Je tins bon face à ma longue épreuve et je fis mes premières armes dans les guerres des pays du continent, copieusement nourri de coups, de privations et d'aventures. À ma dernière bataille, je fus fait prisonnier et on m'a laissé croupir pendant sept ans dans un donjon. Grâce à mon astuce et à mon courage, je parvins finalement à m'évader. J'ai filé aussitôt vers Londres. Me voilà, tout juste arrivé, sans vêtements, sans argent et sans nouvelles de ceux que j'ai laissés derrière moi à Hendon Hall, il y a de cela dix ans. Voilà, sire, si tel est votre bon plaisir, ma piètre histoire terminée.»

— On vous a honteusement trompé, dit le jeune roi, l'œil étincelant. Mais je vais redresser cela, je le jure et je le ferai. Parole de roi.

Sur quoi, échauffé par les injustices que Miles avait subies, il laissa sa langue se délier et déversa dans les oreilles de son auditeur stupéfait le récit de ses propres malheurs. Il avait terminé depuis longtemps que Miles le contemplait encore avec ébahissement. Il pensa à part lui: «Voyez-moi cela, quelle imagination il a! En vérité, il sort de l'ordinaire, qu'il soit sain d'esprit ou malade, il ne pouvait pas tisser une histoire aussi invraisemblable. Pauvre petit, il ne manquera ni d'ami ni d'abri tant que je vivrai. Il ne doit pas me quitter d'une semelle. Ce sera ma petite bête choyée, mon jeune camarade. Ah, et on le guérira! Oui, on le ramènera à l'équilibre. Et il se fera un nom, et j'aurai la fierté de dire: "Oui, c'est mon œuvre. Je l'ai ramassé alors qu'il était sans abri, j'ai su voir de quoi il était capable, j'ai cru avec raison qu'on entendrait parler de lui un jour!"»

Le roi s'exprima d'une voix réfléchie et mesurée:

— Vous m'avez soustrait aux affronts et à la honte, vous m'avez sauvé la vie, vous avez sauvé ma couronne. De pareils services méritent une riche récompense. Dites-moi ce que vous désirez. Pour autant que cela ne déborde pas des limites de mon pouvoir royal, cela vous sera accordé.

Cette offre extraordinaire fit sursauter Hendon, tiré de sa rêverie. Il faillit remercier le roi et rejeter l'offre, disant qu'il n'avait fait que son devoir et ne désirait pas de récompense, mais une inspiration meilleure lui traversa l'esprit, et il demanda l'autorisation de se recueillir quelques instants en silence pour la considérer. Le jeune roi approuva avec gravité, en lui faisant remarquer qu'en matière d'affaires importantes il était bon de ne pas prendre de décisions hâtives.

Miles se concentra un instant puis pensa: «Oui, voilà bien ce qu'il faut faire – il n'y a pas d'autre moyen d'y arriver – et assurément l'heure qui vient de s'écouler m'a appris qu'il serait épuisant et fort malcommode de le contrarier. Oui, voilà ce que je vais demander. C'est bien heureux que je n'aie pas perdu par un refus l'occasion de le faire.»

Il mit alors un genou en terre et dit:

— Le faible service que j'ai rendu à Votre Majesté n'outrepasse pas les bornes du strict devoir d'un sujet, et ne comporte donc aucun mérite. Mais puisque c'est le bon plaisir de Votre Majesté de le tenir pour digne de récompense, j'aurai l'outrecuidance de présenter une requête… Il y a près de quatre siècles, si Votre Majesté se souvient, lorsque les relations entre le roi Jean d'Angleterre et le roi de France étaient sanglantes, un édit proclama que deux champions se combattraient en lice et que le différend se réglerait ainsi par le jugement de Dieu. Ces deux rois, et le roi d'Espagne, s'étaient réunis pour assister au combat et en juger. Le champion français fit son entrée, mais il était si formidable que nos chevaliers anglais refusèrent de se mesurer à lui. Ainsi l'affaire, qui était d'importance, semblait devoir tourner mal pour le monarque anglais, faute de champion.

« Or, dans la tour de Londres était enfermé le seigneur de Courcy, le bras le plus valeureux de toute l'Angleterre, dépouillé de ses titres et possessions, et pourrissant dans une longue captivité. On fit appel à lui et il accepta de se mesurer au champion français. Lorsqu'il entra en lice en tenue de bataille, le Français prit aussitôt la fuite en apercevant son énorme carrure et en entendant prononcer son nom fameux. Le roi français perdit sa cause. Le roi Jean redonna à De Courcy ses titres et ses possessions, lui disant : "Nomme ce que tu désires et tu l'auras, dût-il m'en coûter la moitié de mon royaume." Alors De Courcy mit un genou en terre comme je le fais maintenant et il répondit : "Telle, mon suzerain, est ma requête : que moi et mes descendants puissions bénéficier du privilège de rester couverts en présence des rois d'Angleterre, aussi longtemps que le trône durera."

« Ce don fut accordé, comme Votre Majesté le sait. À aucun moment depuis quatre siècles la lignée n'a manqué d'héritier, si bien que le chef de cette antique maison garde encore aujourd'hui sur sa tête son chapeau ou son casque en présence du roi sans que personne s'y oppose, ce que nul autre que lui ne peut faire. J'invoque ce précédent à l'appui de ma prière, et supplie Votre Majesté de ne m'accorder qu'une seule grâce et qu'un seul privilège, à savoir : que moi et mes descendants, en tous temps, aient la permission de demeurer *assis* en présence de Sa Majesté le roi d'Angleterre ! »

— Levez-vous, chevalier, répondit gravement le roi en lui donnant l'accolade du plat de l'épée de Hendon. Levez-vous et asseyez-vous, votre requête est exaucée. Aussi longtemps que durera l'Angleterre et que la couronne existera, ce privilège restera valide.

Sa Majesté fit quelques pas, distrait. Hendon se laissa tomber sur une chaise et se mit à table, se faisant remarquer à soi-même : « Que voilà une bonne idée, qui m'a ménagé une fameuse délivrance, car mes jambes n'en pouvaient plus. Si cette idée ne m'était pas venue, j'aurais été obligé de rester debout des semaines entières, jusqu'à ce que l'esprit de mon pauvre gamin guérisse. »

Un peu plus tard, il poursuivit : « Et ainsi me voilà devenu chevalier du royaume des Chimères. Position sociale bien curieuse, bien étrange, en vérité, pour un individu aussi terre à terre que moi. Je ne rirai pas, non, car ce qui m'est chimère est pour lui *réalité*. Et pour moi, en un sens, ce n'est pas non plus illusoire : c'est l'authentique reflet de l'esprit plein de douceur et de générosité qui l'anime. »

CHAPITRE XIII

Le nouveau « chevalier » et son hôte s'étaient retirés chacun de leur côté, absorbés par leurs réflexions et en proie à une somnolence envahissante. Les deux convives combattaient sans succès la fatigue. Sortant de sa léthargie, le roi s'écria soudain :

— Enlevez-moi ces guenilles.

Il parlait de ses habits. Hendon aida le garçon à se dévêtir sans objection ni commentaire, le borda dans son lit, puis parcourut la chambre du regard, se disant tristement : « Morbleu ! voilà qu'il a encore pris mon lit… Catastrophe, et moi, que vais-je faire ? »

Le petit roi s'aperçut de son embarras et résolut d'un mot le problème. Il dit d'une voix ensommeillée :

— Vous pouvez dormir sur le seuil de la porte, pour monter la garde.

Puis immédiatement, oubliant tous ses ennuis, il sombra dans un profond sommeil.

— Cher cœur, il aurait dû naître roi, s'exclama Hendon d'un ton admiratif. C'est un rôle qu'il joue à merveille.

Il s'allongea alors en travers de la porte, à même le sol, et dit avec satisfaction :

— Bah ! J'ai été pendant sept ans bien plus mal logé. Ce serait bien ingrat de ma part que de trouver à redire à la situation présente.

Il s'endormit alors que le jour commençait à poindre. À l'approche de midi il se leva, découvrit prudemment son protégé afin de ne pas l'éveiller et prit ses mesures avec une ficelle. Le roi se réveilla au moment où il achevait sa tâche. Il se plaignit du froid et demanda ce qu'il faisait.

— C'est fini, mon suzerain, répondit Hendon. J'ai une course à faire à l'extérieur mais je vais revenir. Dormez encore un peu, vous en avez besoin. Là… laissez-moi recouvrir aussi votre tête, vous aurez plus vite chaud.

Le roi était replongé dans le pays des rêves avant la fin de ce discours. Miles sortit furtivement et rentra tout aussi discrètement trente ou quarante minutes plus tard avec un assortiment complet de vêtements d'occasion pour un enfant, en étoffe bon marché et fatiguée mais propre et de saison. Il s'assit et examina ses achats, marmottant tout haut :

— Une bourse mieux garnie aurait permis d'acheter des vêtements d'une meilleure qualité, mais faute d'argent on se contente de ce qu'on peut s'offrir…

Réalisant qu'il parlait fort et qu'il risquait d'éveiller son pensionnaire, Hendon se rabroua :

— Parlons moins fort ! Ce n'est pas une bonne idée de troubler son sommeil, vu son épuisement et le voyage que nous devons entreprendre. Il est exténué, le pauvre petit... Ces vêtements... ça peut aller... un point de couture ici et là et ça ira. Et ceux-ci sont mieux, encore qu'une reprise ou deux ne seront pas de trop non plus... Ces bottillons garderont ses petits pieds bien au chaud et au sec... sensation qui sera bien nouvelle pour lui apparemment, lui qui sans nul doute a toujours marché pieds nus été comme hiver... Ah, si le fil était du pain... Dire qu'on en a pour une année entière, rien que pour un sou, et cette brave grande aiguille gratuitement en plus... Il est vrai que je vais mettre une éternité à réussir à l'enfiler !

Et ce fut le cas en effet. Il tint l'aiguille immobile et s'efforça d'introduire le fil dans le chas, ce qui est l'opposé de la façon dont une femme aurait procédé. À plusieurs reprises le fil manqua le trou, passant tantôt d'un côté de l'aiguille tantôt de l'autre, ou se repliant sur lui-même. Mais il fut patient, ayant déjà connu tout cela quand il était soldat. Il finit par y arriver, saisit les vêtements en attente près de lui, les souleva, les déposa dans son giron et se mit au travail.

— L'auberge et le déjeuner ont été payés. Il reste à acheter une paire d'ânes et à régler les menues dépenses de deux ou trois jours, avant la réception plantureuse qui nous attend à Hendon Hall... Bon sang ! s'écria le bon samaritain, qui venait de planter l'aiguille sous son ongle. Ce n'est rien... Nous allons être heureux, petit, tu peux en être sûr ! Tes ennuis se dissiperont, et le triste mal qui t'afflige s'envolera... Encore un peu de patience, mon petit !

Il tenait les vêtements à bout de bras et les contemplait avec admiration, fier de son travail.

— Mes points ont une ampleur et une majesté qui font paraître vraiment pâles et ordinaires ces menues et mesquines coutures du fabricant… Voilà un joli travail bien fait et vite expédié. Maintenant, je le réveille, je l'équipe, je lui donne à boire et à manger, et en route au plus vite pour la place du marché près de l'auberge Tabard à Southwark.

Tout en s'approchant de la couchette, Hendon demanda fortement, sur un ton jovial :

— Plairait-il à mon suzerain de bien vouloir se mettre debout ?

N'ayant pas de réponse, il répéta, tout en rejetant les couvertures :

— Votre Altesse, il est l'heure…

Mais sa phrase resta suspendue et il demeura interdit. Le lit était vide ! Il n'y avait plus de garçon !

Il parcourut du regard pendant quelques instants les alentours, muet de surprise. Il prit conscience que les haillons que son pupille portait la veille avaient eux aussi disparu. Il se mit alors à rager, à tempêter. Il appela l'aubergiste. Sur ce, un serviteur entra avec le déjeuner.

— Explique-toi, démon, ou ta dernière heure est venue! rugit l'homme de guerre en bondissant si sauvagement sur le domestique que ce dernier en perdit la parole de surprise et de terreur. Où est l'enfant?

D'une voix entrecoupée et tremblante l'homme donna les renseignements demandés.

— Votre Seigneurie venait à peine de sortir lorsqu'un jeune homme arriva en courant et dit que c'était la volonté de Votre Seigneurie que l'enfant aille vous rejoindre au plus vite au bout du pont du côté de Southwark. Je le fis donc entrer. Quand il éveilla l'enfant et lui transmit le message, l'enfant grommela bien quelque peu d'être réveillé «de si bonne heure» selon ses propres paroles mais il enfila aussitôt ses loques et suivit le jeune homme, se contentant de dire qu'il eût été plus élégant de votre part d'être venu vous-même plutôt que d'avoir dépêché un étranger, et ainsi…

— Et ainsi tu es un imbécile! Un imbécile qu'on peut berner aisément!… Toute ton espèce est bonne pour le gibet! Peut-être cependant n'y a-t-il pas de mal. Il est possible que l'enfant n'ait rien à craindre. Je vais le chercher. Prépare un repas. Attends! Les couvertures sont disposées comme s'il y avait quelqu'un dans le lit, s'agit-il d'un hasard?

— Je l'ignore, mon bon seigneur. J'ai vu le jeune homme – celui qui est venu chercher l'enfant – y farfouiller.

— Mille tonnerres! C'était pour m'induire en erreur… c'est clair, c'était pour gagner du temps. Écoute-moi: ce jeune homme était-il seul?

— Seul, monseigneur.

— Tu en es sûr?

— Certain, monseigneur.

— Rassemble bien tous tes souvenirs… concentre-toi… prends ton temps, mon ami.

Le serviteur réfléchit un moment et dit:

— Quand il est entré, personne ne l'accompagnait. Mais je me souviens maintenant que quand ils sont sortis tous deux et se sont mêlés à la foule sur le pont, un homme qui paraissait assez louche a surgi des alentours et au moment de les rejoindre il...

— Il quoi?... Vas-tu parler! tonna Hendon avec impatience, l'interrompant.

— À ce moment précis la foule les enveloppa et se referma sur eux et je ne vis plus rien. Comme mon maître m'appelait, tempêtant parce qu'un gigot que le notaire avait commandé avait été oublié, quoique me faire porter le blâme de cette erreur est pareil à faire porter à l'enfant dans le ventre de sa mère la responsabilité des péchés commis par...

— Hors de ma vue, imbécile! Ton babillage me rend fou! Attends! Où vas-tu si vite? Dis-moi encore ceci: Sont-ils partis vers Southwark?

— Je l'ignore, mais il ne faut pas m'en vouloir, monseigneur... car, ainsi que je l'ai dit tout à l'heure, l'enfant dans le ventre de sa mère...

— *Comment*, tu es encore là? Toujours babillant? Disparais ou je t'étrangle!

Le serviteur disparut. Hendon le suivit, le dépassa, et dévala l'escalier quatre à quatre, marmonnant:

— C'est ce sinistre goujat qui le revendiquait pour son fils. Je t'ai perdu, mon pauvre petit maître... voilà qui est bien amer à penser alors que j'en étais venu à t'aimer si fort! Non! Morbleu, je ne t'ai *pas* perdu! Je ne t'ai pas perdu: je vais retourner ciel et terre jusqu'à ce que je te retrouve. Pauvre petit, son déjeuner est resté là-bas… et le mien, mais maintenant je n'ai plus faim… c'est bien, laissons-le aux rats… vite, vite! Voilà ce qu'il convient de dire!

Se faufilant comme un ver au milieu de la presse et du tumulte sur le pont il se répéta plusieurs fois, s'accrochant à cette pensée comme si elle possédait un pouvoir particulièrement consolateur: «Il a grogné, mais *il l'a suivi…*, il l'a suivi, oui, parce qu'il croyait que c'était Miles Hendon qui l'avait appelé… il n'aurait jamais répondu à un autre appel, je le sais bien!»

CHAPITRE XIV

Ce matin-là, Tom Canty avait émergé d'un profond sommeil et avait ouvert les yeux dans l'obscurité. Il resta étendu sans parler quelque temps, s'efforçant de trier et d'analyser le chaos de ses pensées et d'en tirer quelque sens, puis s'écria soudain, d'une voix pleine de joie, quoique contenue :

— Ça y est, je comprends tout ! Dieu soit loué, je suis enfin éveillé ! Arrive, allégresse, disparais, ô deuil ! Hé, Nan ! Bet ! Dégagez-vous de cette paille et venez près de moi, le temps que je vous raconte le rêve le plus extravagant jamais formé par l'esprit d'un homme !... Hé, Nan, dis donc ! Bet !...

Une silhouette confuse se dessina à son côté et une voix dit :

— Daignez vouloir préciser vos ordres.

— Mes ordres ? Malheur à moi, je reconnais cette voix ! Parle, toi, dis-moi qui je suis.

— Qui vous êtes ? En vérité vous étiez hier le prince de Galles. Aujourd'hui vous êtes mon très gracieux suzerain, Édouard, roi d'Angleterre.

Tom enfouit sa tête dans les coussins, murmurant d'une voix plaintive :

— Hélas, ce n'était donc pas un songe ! Va prendre du repos, mon bel ami, et laisse-moi à mes peines.

Tom se rendormit et peu de temps après fit un rêve agréable où il se croyait en été. Il jouait, solitaire, dans la prairie qu'on appelle le champ du Brave-Homme, quand un nain haut de trente centimètres, aux longues moustaches rouges et au dos bossu, surgissait soudain devant lui et lui disait :

— Creuse un trou au pied de cet arbre.

Il obéissait et découvrait douze sous tout neufs – splendide trésor ! Mais ce n'était pas tout. En effet, le nain ajoutait :

— Je te connais. Tu es un brave garçon bien méritant. Tes malheurs vont finir, car le jour de ta récompense est arrivé. Creuse ici tous les huit jours, tu y trouveras toujours un égal trésor : douze sous tout neufs. Ne le dis à personne… garde bien le secret.

Et le nain disparaissait. Tom se précipitait à Offal Court avec son magot, et il se disait :

— Chaque soir je donnerai un sou à mon père. Il pensera que je l'aurai mendié, en sera content, et ne me battra plus. Un sou par semaine sera versé au bon abbé qui me donne des leçons. Mère, Nan et Bet auront les quatre autres. Adieu la faim, les haillons, la peur, les soucis et la grossièreté !

Toujours rêvant il atteignait son sordide logis, hors d'haleine, mais les yeux tout animés d'enthousiasme et de reconnaissance. Il jetait quatre de ses sous dans le giron maternel et criait:

— Voilà pour toi!... Il y en a autant pour Nan et pour Bet... et ils sont honnêtement acquis: pas mendiés ni volés!

Heureuse et étonnée, sa mère le serrait contre son cœur en s'exclamant:

— Il se fait tard. Sera-ce le bon plaisir de Sa Majesté de se lever?

Aïe, ce n'était pas là la réponse qu'il attendait. Le rêve s'évanouit et ce fut le réveil.

Il ouvrit les yeux... Le valet de chambre du roi, richement paré, fléchissait le genou au pied du lit. Le bonheur apporté par le rêve dans son sommeil se dissipa... le pauvre enfant se vit à nouveau prisonnier, à nouveau roi. La pièce était pleine de courtisans en manteaux pourpres et des nobles serviteurs du monarque. Tom s'assit dans son lit et contempla, à travers les lourds rideaux de soie, cette foule élégante.

La pesante cérémonie de l'habillage commença: l'un après l'autre, les courtisans fléchirent le genou, dirent un compliment, et présentèrent au jeune roi leurs condoléances pour la perte cruelle qu'il venait de faire, tandis qu'on l'habillait. Cela commença par une chemise qu'apporta le grand écuyer, lequel la passa au premier seigneur de la meute royale, lequel la passa au second gentilhomme de la chambre du roi, lequel la passa au garde forestier en chef de la forêt de Windsor, lequel la passa au troisième servant de l'Écharpe, lequel la passa au Chancelier Royal du duché de Lancastre, lequel la passa au maître de la royale garde-robe, lequel la passa roi d'armes de la Couronne, lequel la passa au connétable de la Tour, lequel la passa au grand intendant de la maison royale, lequel la passa au responsable héréditaire de la lingerie de Sa Majesté, lequel la passa au grand amiral d'Angleterre, lequel la passa à l'archevêque de Cantorbéry, qui la passa au premier lord de la chambre du roi. Chacun de ses vêtements tour à tour eut à subir la même solennelle et lente cérémonie. Le tout était si épuisant que ce fut tout juste s'il ne déborda pas de reconnaissance lorsqu'il vit enfin son haut-de-chausses en soie entamer son trajet de main en main et sut que la fin de l'épreuve se rapprochait. Mais il s'était réjoui trop tôt. Le premier lord de la chambre du roi tenait le vêtement en question et était sur le point d'y faire passer les jambes de Tom lorsqu'une vive rougeur envahit tout à coup son visage et il redéposa précipitamment l'objet entre les mains de l'archevêque de Cantorbéry, paraissant confondu et chuchotant:

— Voyez cela, monseigneur!

Il désignait quelque chose qui se rapportait au haut-de-chausses. L'archevêque pâlit, rougit, et passa le vêtement au grand amiral, balbutiant:

— Voyez cela, monseigneur!

L'amiral passa le haut-de-chausses au responsable héréditaire de la lingerie de Sa Majesté, ayant conservé à peine assez de souffle pour lâcher un «Voyez cela, monseigneur!» Le haut-de-chausses continua à parcourir toute la ligne en sens inverse, toujours accompagné d'exclamations d'épouvante: «Voyez cela! Voyez cela!» jusqu'à parvenir enfin dans les mains du grand écuyer qui contempla un moment, le visage très pâle, ce qui avait provoqué une telle frayeur, et d'une voix rauque souffla :

— Mort de ma vie ! un point de la jarretière s'est décousu ! En prison, l'intendant en chef de la lingerie royale !...

Il s'appuya ensuite sur l'épaule du premier seigneur de la meute pour réparer ses forces défaillantes, tandis qu'un nouveau haut-de-chausses, dont la jarretière était sans défaut, était apporté.

Mais toutes choses ont une fin, et au bout du compte Tom se retrouva paré pour sortir du lit. L'officiant désigné versa de l'eau, le second officiant désigné dirigea les opérations de lavage, le troisième officiant désigné se tint à proximité avec une serviette de toilette, et à la suite du déroulement de toutes ces étapes purificatrices Tom se trouva en état de recevoir les soins du coiffeur de Sa Majesté. Lorsque à la fin il émergea des mains du maître, il était aussi gracieux d'apparence et aussi joli qu'une demoiselle, avec un manteau et une culotte de satin cramoisi et un couvre-chef à plumes du même ton. Il se dirigea en grand apparat vers la salle du petit déjeuner, parmi les courtisans assemblés tandis que sur son passage ils se reculaient pour lui faire place et se prosternaient devant lui.

Après le repas, il fut conduit cérémonieusement, suivi de ses grands officiers et de cinquante gardes du corps armés de haches damasquinées d'or, jusqu'à la salle du trône, où il eut à traiter des affaires d'État. Lord Hertford se tenait près du trône, afin d'offrir son assistance au royal cerveau par de pertinents conseils.

Le corps des illustres personnages nommés par le roi Henri comme exécuteurs testamentaires se présenta, pour demander à Tom d'approuver certains actes – dans les circonstances présentes, cette demande était plus qu'une simple formalité, car il n'y avait jusqu'à nouvel ordre aucun régent et le royaume se retrouvait sans protecteur. L'archevêque de Cantorbéry fit un rapport sur le décret du conseil des Exécuteurs pour les obsèques de feue Sa Très Illustre Majesté, et l'acheva par l'énumération des signataires: l'archevêque de Cantorbéry; le Lord Chancelier; Lord William Saint-John; Lord John Russell; le comte Édouard d'Hertford; le vicomte John Lisle; Cuthberg, évêque de Durham...

Tom n'écoutait pas: un paragraphe antérieur du document le troublait. Il se tourna alors vers Lord Hertford et lui chuchota:

— Quel jour a-t-il dit que l'enterrement devrait avoir lieu?

— Le 16 du mois prochain, mon suzerain.

— Voilà une extravagance déconcertante. Se conservera-t-il jusque-là?

Le pauvre enfant était encore peu accoutumé aux pratiques de la royauté; il voyait d'ordinaire les tristes cadavres d'Offal Court se faire expédier bien différemment. Cependant, quelques mots de Lord Hertford le rassurèrent.

Un secrétaire d'État fit part d'une ordonnance du conseil, lequel proposait un rendez-vous à onze heures le lendemain pour recevoir les ambassadeurs étrangers et désirait l'assentiment du roi.

Tom interrogea du regard Hertford, qui murmura :

— Votre Majesté fera un signe affirmatif. Ils viennent vous assurer que les rois leurs maîtres ressentent durement la calamité qui a affligé Votre Grâce et le royaume d'Angleterre.

Tom agit comme indiqué. Un autre secrétaire se mit à lire un préambule concernant les dépenses de la maison du feu roi, dépenses qui sur les six derniers mois s'étaient élevées à 28 000 £ – somme si colossale que Tom Canty en suffoqua. Il suffoqua encore quand il apparut que, sur cette somme, 20 000 £ étaient dues mais non payées, et une fois de plus lorsqu'il s'avéra que les coffres du roi étaient quasiment vides, et ses douze mille serviteurs fort gênés par le non-paiement des gages qu'on leur devait. Tom intervint, saisi d'angoisse :

— On se cassera la figure, c'est clair, et on se retrouvera à la rue avant longtemps avec un tel train de dépenses. C'est sûr qu'il nous va falloir nous loger plus petitement, congédier les serviteurs, lesquels ne servent qu'à créer retards et embarras épuisants pour l'esprit, déshonorants pour l'âme, et ne conviennent qu'à poupée qui n'aurait cervelle ni mains pour se servir elle-même. Congédiez-moi donc aujourd'hui même tous ces gêneurs qui me croient incapables de me servir de mes dix doigts. Quant à la maison, j'en connais justement une qui ferait mon affaire, en face du marché aux poissons près de Billings-gate...

Une pression énergique sur le bras de Tom arrêta net les fantaisies de sa langue et fit monter le rouge de la honte à son visage. Mais rien dans les attitudes de l'auditoire ne trahit en aucune façon que son étrange discours avait été remarqué ou avait troublé personne.

Un secrétaire s'avança alors pour lire un document qui énumérait les dispositions prises dans son testament par le feu roi Henri pour élever les hauts serviteurs de la couronne et conférer, entre autres, au comte d'Hertford le rang de duc. Le roi n'avait pas accordé, du moins par écrit, les domaines susceptibles de permettre aux heureux élus de soutenir leur nouveau rang. À cet égard, le conseil avait ainsi décidé d'octroyer – si tel était toujours le bon plaisir du roi actuel – des terres ayant des revenus de plusieurs centaines de livres.

Tom allait s'écrier étourdiment qu'il serait plus convenable de payer d'abord les dettes du feu roi avant de dispenser tout son argent à droite et à gauche, mais au moment opportun une pression sur son bras exercée par l'avisé Hertford lui épargna cette incongruité. Il accorda donc l'approbation royale requise, sans autre commentaire, en dépit du malaise qu'il en éprouvait en son for intérieur. Tandis qu'il siégeait et réfléchissait à l'aisance avec laquelle il avait accompli ces brillantes et extraordinaires actions, une heureuse inspiration lui vint à l'esprit. Pourquoi ne pas faire de sa mère la duchesse d'Offal Court et lui offrir un château? Mais des pensées moroses balayèrent aussitôt son idée: il se souvint qu'il n'était qu'un roi de façade. Ces graves vétérans et grands personnages du royaume étaient ses maîtres; pour eux sa mère n'était qu'un fantasme de son esprit malade. Ils l'écouteraient parler de ses projets sans y donner aucun crédit et enverraient aussitôt chercher le docteur.

Pendant ce temps, les dignitaires poursuivaient leur morne labeur. On lut des pétitions, des réclamations, des patentes – toutes sortes de formules creuses et assommantes se ressassaient au sujet des affaires de l'État. Pour finir, Tom poussa un soupir pathétique et murmura à part soi: «Qu'ai-je donc fait au Ciel pour ainsi mériter d'être tenu à l'écart de l'air libre et de la lumière du soleil, pour qu'on m'emprisonne ici, me fasse régner, moi, le plus malheureux des mortels?» Sa pauvre tête alors dodelina, s'affaissa sur son épaule. Les affaires de l'Empire restèrent suspendues et le silence se fit autour de l'enfant endormi.

L'après-midi, Tom passa une heure agréable, avec l'autorisation de ses gardiens, en compagnie de princesse Élisabeth et de la petite Lady Jane Grey. Cependant l'entrain de ces princesses fut quelque peu amoindri par le terrible coup qui s'était abattu sur la maison royale. Sa sœur aînée – laquelle était destinée à devenir ultérieurement «Marie la sanglante» – le glaça lors d'une courte visite solennelle qui offrit à ses yeux le seul mérite d'être brève. Il bénéficia enfin de quelques minutes de solitude, mais on interrompit sa quiétude pour introduire un vieillard habillé tout de noir sauf pour un jabot neigeux et de la dentelle au bas de ses manches. Il ne portait aucune marque de deuil à part un nœud de rubans cramoisis sur l'épaule et s'avança d'un pas hésitant, nu-tête, s'inclina devant Tom et mit un genou en terre. Tom ne bougea pas. Il le dévisagea un certain temps et finit par lui dire:

— Qui êtes-vous? Que désirez-vous?

Le vieil homme se redressa et resta debout dans une attitude gracieuse, mais son visage revêtit une expression attristée. Il répondit:

— Sûrement, monseigneur, sûrement, vous vous souvenez de moi. Je suis votre menin.

— Mon menin?

— Lui-même, monseigneur. Je suis Humphrey... Humphrey Marlow, et je suis attaché à votre service depuis plusieurs années.

Tom estima que ses gardiens auraient dû l'avertir. La situation était délicate. Que faire? Devait-il affecter de connaître cet homme, et laisser chaque mot dévoiler ensuite que jamais il n'avait entendu parler de lui? Non, cela n'irait pas. Une idée vint à son secours: de pareils incidents se produiraient maintes fois maintenant que Hertford et Saint-John, en tant que membres du conseil, devaient s'absenter pour voir aux urgences diverses. Il était donc opportun peut-être de prévoir quelque plan permettant de faire face à de telles situations. Oui, voilà qui serait sage... il allait s'exercer sur ce candidat et se faire une idée du succès qu'il pourrait obtenir. Il se gratta le crâne, prit un air perplexe, puis déclara:

— Il me semble que quelques souvenirs de vous me reviennent... mais comme embrumés et affaiblis par le mal dont je souffre...

— Hélas, mon pauvre maître! s'écria le vieillard avec effusion.

Ce dernier ajouta à part soi: «C'est bien ce qu'ils disaient... il a perdu la tête... hélas, le pauvre garçon! Mais malheur! J'oublie qu'ils ont dit qu'il fallait ne pas sembler s'apercevoir de son état.»

— Étrange comme ma mémoire me lâche ces jours-ci, dit Tom. Mais ne vous faites pas de souci... cela s'arrange peu à peu... il suffit qu'on me rappelle un tout petit peu quelque chose pour ramener les événements et les noms qui m'échappent (et aussi ceux dont je n'ai jamais entendu parler auparavant...). Dites-moi votre affaire.

— Elle est dérisoire, mon suzerain, mais puisque tel est votre bon plaisir, je vous en parle. Il y a deux jours, Votre Majesté s'est trompée trois fois pendant la leçon de grec du matin... vous en souvenez-vous?

— Heu... oui, je crois. (Pas fameux, ce mensonge. Si je m'étais mêlé de grec, ce n'est pas trois fautes mais quarante fautes que j'aurais faites). Oui, oui, je m'en souviens. Continuez.

— Le professeur, indigné de cette négligence, jura que je serais dûment fouetté pour cela... et...

— Vous, fouetté! s'exclama Tom, abasourdi au point d'en perdre sa présence d'esprit. Pourquoi fallait-il vous fouetter, *vous*, pour des fautes commises par moi?

— Ah, monseigneur perd encore la mémoire. C'est toujours moi qu'il châtie quand vous ne savez pas vos leçons.

— C'est vrai, c'est vrai... je l'avais oublié. Vous êtes mon répétiteur... donc si je ne sais pas mes leçons, il considère que c'est vous qui avez mal fait votre travail, et...

— Oh, mon suzerain, que dites-vous là? Moi, le plus humble de vos serviteurs, vous donner des leçons, à *vous*!

— Alors que vous reproche-t-on? Quel jeu de devinettes! Suis-je vraiment devenu fou ou quoi? Expliquez-vous... parlez!

— Mais, Votre Majesté, il n'y a rien à expliquer. Nul n'a le droit d'exercer sur la personne sacrée du prince de Galles des châtiments corporels. Donc, lorsqu'il commet une faute, c'est moi qui les reçois, et ce n'est que justice car cela est mon rôle et c'est ce qui me permet de vivre.

Tom considéra cet homme naïf, se disant intérieurement: «Voyez-moi cela! C'est extraordinaire – Voilà un commerce des plus étonnants et des plus curieux! Je m'émerveille qu'ils ne paient pas d'autres gens pour manger, pour dormir ou pour subir des séances de coiffure et d'habillage à ma place. Ce serait effectivement plaisant, car ces séances sont pour moi une vraie torture.» Puis il dit à haute voix:

— Et avez-vous reçu les coups promis?

— Non, Votre Majesté, le châtiment était fixé pour aujourd'hui, et il pourrait peut-être être amnistié, car cela pourrait être considéré comme inconvenant en période de deuil. Ne sachant si c'est possible, j'ai osé me présenter devant vous et rappeler à Votre Grâce qu'elle a bien voulu s'engager à intercéder en ma faveur…

— Auprès du professeur? Pour vous éviter ces coups de fouet?

— Ah, vous vous en souvenez!

— Ma mémoire s'améliore, vous en êtes témoin. Paix à votre esprit… vous serez épargné… j'y veillerai.

— Oh, merci, mon bon seigneur! s'écria Humphrey, fléchissant le genou à nouveau. Peut-être ai-je outrepassé ce qui m'était permis, pourtant…

Voyant que maître Humphrey hésitait, Tom l'encouragea à poursuivre, disant qu'il était «en humeur d'accorder des faveurs».

— Alors je parlerai, car je l'ai sur le cœur. Puisque vous n'êtes plus prince de Galles mais roi, vous pouvez commander comme vous voulez, sans que personne puisse vous contredire. Il est ainsi probable que Votre Altesse renonce à poursuivre de lugubres études, souhaitant appliquer votre esprit à des sujets moins rebutants. Et alors pour moi, c'est la ruine, et pour mes enfants aussi avec moi!

— La ruine? Pourquoi cela, je vous en prie?

— C'est mon dos qui me nourrit, ô mon gracieux suzerain. S'il ne sert plus, je meurs de faim. Si vous cessez d'étudier, ma fonction disparaîtra, vous n'aurez plus besoin d'un menin. Ne me renvoyez pas!

Tom fut touché de cette pitoyable détresse. Il répondit, dans un accès de royale générosité:

— Voyons, séchez vos larmes. Votre fonction sera permanente pour vous et votre lignée éternellement.

Il frappa d'un léger coup du plat de son épée l'épaule du vieil homme et s'exclama:

— Relevez-vous, Humphrey Marlow. Bannissez tout chagrin… Je vais revenir à mes livres et travailler si dur qu'on sera obligé de tripler vos gages, tant votre fonction aura monté en puissance.

Plein de reconnaissance, Humphrey répondit avec ferveur:

— Merci, cher maître. Votre générosité surpasse mes rêves les plus fous. C'est le bonheur désormais et toute ma lignée continuera de vous bénir et vous louanger quand je ne serai plus.

Tom eut assez d'esprit pour percevoir qu'il avait là un personnage qui pouvait s'avérer utile. Il encouragea Humphrey à parler et ne le regretta pas. L'autre était ravi de croire qu'il contribuait au «traitement» censé guérir la maladie de Tom, car toujours, dès qu'il avait terminé de rappeler à l'esprit affaibli de Tom le détail de ses aventures dans les salles de classe royales et aux alentours du palais, il remarquait que Tom devenait soudain capable de retrouver ces souvenirs avec la plus grande clarté. En une heure, Tom se trouva muni de précieuses informations concernant les personnes et les sujets de la cour : il résolut donc de s'abreuver quotidiennement à cette source. À cette fin, il donna l'ordre d'admettre Humphrey dans le cabinet de travail royal toutes les fois où il pouvait venir, sauf lorsqu'il était engagé dans un rendez-vous avec d'autres visiteurs.

À peine venait-il de renvoyer Humphrey que Lord Hertford arriva avec de nouveaux ennuis pour Tom. Il lui apprit que les lords du conseil, craignant que des propos malveillants commencent à circuler au sujet de la santé mentale de Tom, lui faisaient savoir qu'ils jugeaient convenable et approprié que Sa Majesté dîne en public. Son teint coloré, son pas vigoureux, soutenus par une décontraction d'allure et une attitude savamment observées, seraient suffisamment efficaces pour calmer les soupçons, si soupçons il y avait.

Le comte commença alors, avec une infinie délicatesse, à instruire Tom des convenances et usages à respecter lors de cette noble occasion, affectant de se borner à lui « rappeler » ce qu'il savait déjà. Il eut cependant l'intense satisfaction de découvrir que Tom n'avait guère besoin d'aide en cette matière, car Humphrey lui en avait déjà glissé un mot.

Voyant que la mémoire royale s'était si bien améliorée, le comte essaya de la tester sans en avoir l'air, pour tenter de mesurer ses progrès. Les résultats s'avérèrent parfois heureux, et en fin de compte Hertford se montra agréablement satisfait et dit d'une voix pleine d'espoir:

— Je suis convaincu à présent que si Votre Majesté acceptait de fournir un tout petit effort supplémentaire, elle résoudrait l'énigme de la disparition du grand sceau – une disparition qui hier était importante même si elle ne l'est plus aujourd'hui, puisque sa raison d'être s'est éteinte en même temps que la vie du roi Henri. Votre Grâce peut-elle faire cet effort?

Tom était perdu: il ignorait ce qu'était qu'un grand sceau. Il hésita et puis demanda innocemment:

— À quoi ressemble cet objet, monseigneur?

Le comte eut un sursaut presque imperceptible et marmotta à part soi: « Hélas, ses esprits l'ont quitté à nouveau! » – et il détourna la conversation avec adresse, voyant que c'était peine perdue d'insister.

CHAPITRE XV

Le jour suivant, les ambassadeurs étrangers se présentèrent, encadrés de flamboyantes escortes; et Tom,
juché sur un trône et fort angoissé, les accueillit. Les
pompes du décor charmèrent son œil et enflammèrent son
imagination au début, mais la séance tira en longueur, de
même que la plupart des discours – si bien que ce qui avait
été tout d'abord un plaisir se mua en lassitude et il fut
malade de nostalgie. Il prononça les mots que Hertford
lui soufflait de temps à autre, fit tout ce qu'il put pour se
conduire de façon décente, mais il était trop inexpérimenté
et trop mal à son aise pour réaliser une performance autre
que médiocre. Il avait bien l'apparence d'un roi, mais il ne
réussissait pas à se sentir comme tel. Il fut très content
lorsque la cérémonie se termina.

La majeure partie de sa journée fut «gaspillée» – selon
les termes qu'il se disait intérieurement – en corvées
relevant de sa royale fonction. Même les deux heures
dévolues à ses récréations lui pesèrent plus qu'elles ne le
détendirent, tant elles étaient guidées par des conventions
et des cérémonies. Cependant, il put s'entretenir pendant
une heure avec Humphrey et y gagna sur deux tableaux,
en divertissements autant qu'en informations utiles.

La troisième journée du règne de Tom Canty arriva et se déroula comme celles qui l'avaient précédée, mais les nuages qui les avaient assombries se dissipèrent quelque peu : il commençait à se sentir moins mal à l'aise qu'au début. Il s'habituait à ce qui l'entourait; ses chaînes lui pesaient encore, mais pas tout le temps. Il découvrait que la présence et les hommages des grands de ce monde l'impressionnaient et l'embarrassaient de moins en moins à chaque heure qui passait.

Malgré tout, Tom continuait de craindre l'épreuve des dîners en public qui devaient commencer le lendemain. D'autres épreuves l'attendaient aussi pour ce jour-là : il devrait présider un conseil où on lui demanderait des avis et des directives sur la politique à mener vis-à-vis de diverses nations étrangères, Hertford devait également être formellement désigné comme Régent. D'autres sujets importants devaient aussi être traités, mais aux yeux de Tom tout cela paraissait insignifiant en regard de la perspective d'avoir à dîner seul sous une multitude d'yeux pleins de curiosité fixés sur lui et de commentaires chuchotés sur la façon dont il s'en tirerait, ou ne s'en tirerait pas, si une telle malchance devait lui advenir.

Pourtant, rien ne pouvait empêcher ce jour d'arriver, et il arriva. Il trouva le malheureux Tom abattu et incapable de fixer son attention, état d'esprit qui ne le lâcha pas : il ne pouvait s'en débarrasser. L'agenda habituel de la matinée l'épuisait. Une fois de plus il sentit la lourdeur des chaînes qui pesaient sur lui.

Vers la fin de la matinée, il se trouvait dans une vaste salle d'audience et causait avec le comte d'Hertford en attendant la visite très formelle d'un nombre considérable de hauts personnages et de courtisans.

Tom, qui s'était avancé par hasard vers une fenêtre et s'était intéressé à l'animation et au mouvement de la grande avenue qui s'ouvrait au-delà des grilles du palais – un intérêt dû, non au seul désœuvrement, mais au brûlant désir de participer lui aussi à cette agitation – Tom vit l'avant-garde d'une foule hurlante, braillarde, échevelée d'hommes, de femmes et d'enfants de la plus basse et de la plus misérable classe, qui remontait la route et se rapprochait.

— Ah! si je pouvais savoir de quoi il s'agit! cria-t-il, avec toute la curiosité juvénile des adolescents pour de tels spectacles.

— Vous êtes le roi! répondit cérémonieusement le comte en s'inclinant. Votre grâce m'autorise-t-elle à agir?

— Mais certainement! De tout cœur! s'exclama Tom en proie à une vive excitation.

Il ajouta, comblé, à part soi: «Il s'avère qu'être roi ne présente pas que des côtés ennuyeux – cela comporte aussi certains avantages.»

Le comte fit venir un page et l'envoya au capitaine de la garde avec ce message:

— Qu'on arrête cette foule et qu'on la détienne afin de savoir ce qui a causé une pareille effervescence. Ordre du roi!

Dans les quelques secondes qui suivirent, un long rang de gardes royaux dont les armures étincelaient au soleil se mit en ligne à la grille et fit face à la foule. Un messager revint, pour rapporter que cet attroupement suivait un homme, une femme et une fillette qu'on allait exécuter pour crimes lésant la paix et la dignité du royaume.

La mort pour ces infortunés misérables! Tom en eut le cœur serré. Il fut pris de pitié, à l'exclusion de toute autre considération. Il n'accorda aucune pensée aux lois outragées, au deuil et aux pertes que ces trois criminels avaient infligés à leurs victimes. Il ne pensa à rien si ce n'est à l'échafaud et à l'affreux destin des condamnés. La sympathie qu'il éprouvait à leur égard lui fit même oublier pendant un instant qu'il n'était qu'un simulacre de roi – non le roi réel – et, avant qu'il ait eu le temps de savoir ce qu'il faisait, il avait lancé un ordre:

— Amenez-les ici.

Sur quoi il devint écarlate et des mots d'excuse se pressèrent sur ses lèvres. Ces commandements n'avaient pourtant causé aucune surprise au comte, et il refoula les paroles qu'il allait prononcer. Le page parut trouver ces ordres tout à fait naturels. Il s'inclina profondément, puis se retira à reculons pour aller les transmettre. Tom éprouva une bouffée d'orgueil et médita à nouveau sur les avantages liés au métier de roi. Il se disait: «Voilà qui est vraiment conforme à ce que j'imaginais lorsque je lisais les livres de contes du vieil abbé et me figurais être moi-même prince, créant les lois, dirigeant, disant: "fais ceci", "fais ça", sans que personne ose jamais s'opposer à mes volontés.»

Les portes s'ouvrirent toutes grandes. Des titres pompeux furent annoncés à la suite les uns des autres, les hauts personnages à qui ils appartenaient se succédèrent, et les lieux furent vite à moitié remplis de personnes de noble extraction aussi bien que de beau linge. Tom avait à peine conscience de la présence de ces gens, tant il était absorbé par un sujet autrement intéressant. Assis distraitement sur son siège royal, il fixait du regard la porte avec des signes visibles d'impatience et d'attente. Voyant cela, l'assistance n'osait le déranger, et causait à voix basse des affaires publiques et échangeait des potins de la cour.

Peu de temps après, des pas cadencés de soldats se firent entendre, et les coupables furent introduits sous la conduite d'un sous-officier, escortés par un détachement de la garde personnelle du roi. L'officier, plein de déférence, plia le genou devant Tom et se rangea sur le côté. Les trois condamnés fléchirent aussi le genou et restèrent dans cette position. Les gardes se placèrent derrière le siège où Tom était assis. Tom examina les prisonniers avec curiosité. Quelque chose dans la tenue ou dans les traits de l'homme éveillait en lui de vagues souvenirs. «Il me semble avoir déjà vu cet homme. Mais en quel lieu, en quelles circonstances, voilà ce que je ne retrouve pas», pensait-il. À cet instant précis, l'homme jeta un coup d'œil vers lui et baissa rapidement la tête à nouveau, mais ce bref éclair fut suffisant pour Tom. Il se dit en lui-même : «Bien sûr, je me souviens de cet homme maintenant ! C'est cet étranger qui repêcha le jeune Giles Witt dans la Tamise et lui sauva la vie au jour de l'An, par un vent et un froid glacial. Une brave et belle action ! C'est une vraie pitié qu'il en ait commis d'autres moins bonnes et se soit mis dans le pétrin... »

Sur ce, Tom commanda que la femme et la fillette fussent éloignées de lui pour quelques minutes, puis il s'adressa au sous-officier, demandant :

— Mon bon, quel crime cet homme a-t-il commis ?

L'officier mit un genou en terre et répondit :

— Je suis aux ordres de Votre Majesté. Il a ôté la vie à un de vos sujets, par poison.

La compassion que Tom éprouvait pour le prisonnier et son admiration pour le hardi sauveteur d'un garçon qui se noyait, fut sérieusement ébranlée.

— La chose a été prouvée? demanda-t-il.

— Très nettement, sire.

Tom soupira.

— Emmenez-le, dit-il – il a mérité son sort. Voilà qui est bien triste, car il semblait honnête et brave!

Le prisonnier joignit les mains avec une énergie inattendue et les tordit désespérément, en appelant au roi d'un ton implorant, en phrases décousues et affolées.

— Oh, sire, si vous êtes sans pitié pour les coupables, ayez pitié de moi! Je suis innocent... le crime dont on m'accuse n'a eu de preuves que fort boiteuses... mais je n'en parlerai pas, le jugement a eu lieu et ne peut être modifié. Cependant, dans les extrémités où je me trouve, je vous supplie de m'accorder une faveur, car l'horreur qui m'attend est plus que je ne peux supporter. Une grâce, une grâce, sire! Que votre royale compassion m'accorde cette prière... Ordonnez que je sois pendu!

Tom en resta pantois. Ce n'était pas ce à quoi il s'était attendu.

— Sur ma vie, voilà une étrange requête! N'était-ce pas là le sort qui t'attendait?

— Oh! mon bon souverain, que non! L'ordre porte que je dois être *bouilli vif*!

L'horrible choc causé par ces mots fit presque jaillir Tom de son siège. Dès qu'il eut retrouvé ses esprits, il cria:

— Qu'il en soit fait selon tes vœux, pauvre créature! Même si tu avais empoisonné cent hommes, il ne conviendrait pas que tu subisses un si abominable trépas.

Le prisonnier courba la tête vers le sol et se répandit en remerciements passionnés... finissant par dire:

— Si jamais le malheur vous frappe – que Dieu nous en préserve! – puisse la bonté dont vous avez fait montre à mon égard être rappelée et récompensée!

Tom se retourna vers le comte d'Hertford. Il lui dit:

— Monseigneur, est-il croyable qu'un ordre ait été donné pour infliger un sort si féroce à cet homme?

— C'est la loi, sire – c'est le châtiment des empoisonneurs. En Allemagne, les faux-monnayeurs sont bouillis vifs dans de l'*huile*. Ils n'y sont pas précipités d'un seul coup, mais descendus peu à peu au bout d'une corde, lentement: d'abord les pieds, puis les jambes, puis...

— Je vous en supplie, monseigneur, arrêtez, je ne puis en supporter davantage! cria Tom, couvrant ses yeux de ses mains pour chasser cette vision. Je vous prie, monsieur le comte, de vous assurer qu'il soit fait en sorte que cette loi soit changée et que des misérables créatures n'aient plus à subir de pareilles tortures.

Le visage du comte s'éclaira, car c'était un homme d'un naturel tolérant et généreux – qualité qui n'était pas si fréquente chez les personnes de son rang à cette époque. Il dit :

— Les nobles paroles de Votre Grâce ont scellé sa condamnation. L'histoire en conservera la mémoire, toute à l'honneur de votre royale maison.

Le sous-officier allait conduire ses prisonniers, mais Tom lui fit signe d'attendre. Il dit alors :

— Mon bon ami, je voudrais voir cette affaire de plus près. Cet homme a dit que son crime n'avait reçu de preuves que boiteuses. Dis-moi ce que tu en sais.

— Si tel est le bon plaisir de Votre Majesté. Il est apparu effectivement devant le tribunal que cet homme était entré dans une maison, dans le hameau d'Islington, où reposait un malade. Trois témoins ont attesté qu'il était dix heures du matin – le malade étant seul à ce moment-là et endormi – lorsque notre homme était ressorti et avait repris sa route. Le malade mourut ensuite en moins d'une heure, pris de spasmes et de vomissements.

— Est-ce qu'un témoin l'a vu donner le poison ? A-t-on trouvé ce poison ?

— Non, sire.

— Comment sait-on alors que du poison fut donné ?

— Avec la permission de Votre Majesté, les médecins ont attesté que nul ne peut mourir en proie à de tels symptômes si ce n'est par du poison.

Témoignage invincible, en cette époque naïve. Tom en reconnut l'irréfutable puissance, et dit :

— Un médecin connaît son métier... Selon toute apparence ils ont eu raison. Voilà qui se présente bien mal pour cette pauvre créature.

— Ce n'est pas tout, Majesté ; il y a eu autre chose de pire. Nombre de témoignages ont attesté qu'une sorcière, qui a quitté le village et demeure introuvable, avait absolument prédit, et ils l'ont entendu de leurs propres oreilles, que ce malade *mourrait empoisonné*... et, de plus, que ce poison lui serait donné par un étranger aux cheveux noirs, revêtu d'habits communs et usés. Cette description correspond en tout point à ce prisonnier. Qu'il plaise à Votre Majesté de tenir formellement compte de cette preuve supplémentaire : que de plus ce crime était *prédit*.

La force d'un tel argument emportait tout, à cette époque de superstitions. Tom comprit que le cas était définitivement réglé : la culpabilité de ce pauvre homme ne laissait aucun doute. Cependant, il tendit la perche une dernière fois au prisonnier :

— S'il y a quoi que ce soit que tu puisses dire pour ta défense, dis-le.

— Rien qui puisse être efficace, mon roi. Je suis innocent mais je ne peux pas le prouver. Je n'ai pas d'amis, sinon j'aurais pu montrer que je n'étais pas à Islington ce jour-là et j'aurais pu montrer aussi qu'à l'heure dont ils parlent j'étais à plus d'une lieue de ce village. Et même plus, mon roi, car j'aurais pu montrer qu'au moment où ils disent que j'*ôtais* la vie à quelqu'un, j'étais en train de *sauver* la vie de quelqu'un. Un garçon se noyait...

— Silence ! Officier, dites-moi à quelle date le crime a eu lieu !

— À dix heures du matin, ou quelques minutes plus tard, au premier de l'An, très illustre...

— Libérez ce prisonnier... Ordre du roi!

Une vive rougeur succéda à cet éclat incongru. Pour couvrir son embarras, il ajouta:

— Vous êtes sans doute celui qui a sauvé un garçon de la noyade dans la Tamise, un haut fait que m'ont rapporté certaines personnes. Je trouve exaspérant qu'un homme doive être pendu sur des preuves pareilles, faites à la mesure d'animaux sans cervelle!

Une discrète rumeur d'admiration se propagea dans l'auditoire. Cette admiration n'avait pas pour objet le singulier décret émis par Tom, car le fait d'amnistier un empoisonneur n'aurait pas emporté l'adhésion d'un grand nombre de spectateurs... Non, c'était l'intelligence et l'astuce dont Tom avait fait preuve qui étaient admirés. Quelques-uns des commentaires prononcés à mi-voix en témoignaient:

— Ce roi n'est pas fou... il a tout son bon sens.

— Avec quelle sagacité il l'a interrogé... Comme on le retrouve tel qu'il était auparavant dans cette manière abrupte et impérieuse de régler l'affaire!

— Dieu merci, le voilà guéri! Ce n'est pas là une chiffe mais un roi véritable. Il s'est conduit comme son père en personne.

L'air bruissait d'approbation. L'oreille de Tom en perçut nécessairement quelques bribes. L'effet que cela produisit sur lui fut qu'il se sente de plus en plus à l'aise et aussi de lui faire éprouver une foule de sentiments des plus agréables.

Cependant, sa curiosité juvénile fut bientôt plus forte que ces pensées et ces sensations plaisantes. Il avait hâte de savoir quel forfait avaient commis la femme et la petite enfant. Donc, sur son ordre, ces deux créatures terrifiées et secouées de sanglots furent amenées devant lui.

— Qu'ont-elles fait? demanda-t-il à l'officier.

— Si c'est le bon plaisir de Sa Majesté. Un crime des plus noirs fait l'objet de leur accusation, les preuves sont des plus nettes. Les juges les ont condamnées, au nom de la loi, à être pendues. Elles se sont vendues au diable... Tel est leur crime.

Tom frémit. On lui avait toujours appris à détester les personnes qui pratiquaient cette vilaine activité. Cependant, il n'allait pas se priver pour autant du plaisir d'assouvir sa curiosité, si bien qu'il demanda:

— Où cela a-t-il été commis?... et quand?

— À minuit, en décembre... dans une église en ruine, Majesté.

Tom frémit encore une fois.

— Qui en fut témoin?

— Elles deux seulement, Majesté...

— Ont-elles avoué?

— Que non, sire, elles n'ont pas cessé de nier.

— Mais alors, comment l'a-t-on su?

— Des gens les ont vues rôder de ce côté, Majesté. Cela a nourri les soupçons et les calamités qui ont suivi les ont bien confirmés et justifiés. En particulier, il a été prouvé que grâce au vilain pouvoir obtenu par ce moyen, elles ont invoqué et fait éclater un orage qui a effectivement dévasté toute la région environnante. Plus de quarante témoins ont attesté de cette tempête. On peut s'étonner qu'il n'y en ait pas eu mille, car tous avaient des raisons de s'en souvenir, ayant tous souffert de son fait.

— Certes, voilà qui est sérieux.

Tom rumina quelque temps ce sombre trait de scélératesse, et finit par demander :

— La femme a-t-elle souffert elle aussi de la tempête ?

Plusieurs têtes de gens âgés de l'assemblée furent hochées marquant leur appréciation de l'à-propos de cette question. L'officier cependant n'y entendit pas malice et il répondit avec simplicité :

— À coup sûr, Majesté, elle en a souffert, elle le méritait bien. Sa maison a été balayée par la tempête, elle et son enfant se retrouvent sans abri.

— Il me paraît que le pouvoir de se jouer un aussi mauvais tour à soi-même a été acheté bien cher. Si elle a vendu son âme et celle de son enfant pour obtenir ce résultat, on peut déclarer qu'elle est folle. Si elle est folle, elle ne sait pas ce qu'elle fait. Donc, elle n'est pas coupable.

Des têtes furent hochées à nouveau, appréciant la sagacité de Tom une fois de plus, et il y eut un individu pour murmurer :

— Si le roi est fou, comme on le rapporte, c'est d'un genre de folie qui améliorerait certaines personnes sensées que je pourrais nommer…

— Quel âge a l'enfant? demanda Tom.

— Neuf ans, n'en déplaise à Votre Majesté.

— Est-ce que la loi anglaise permet à un enfant de signer des contrats et se vendre soi-même, monseigneur? demanda Tom en se tournant vers un juge plein de science.

— La loi anglaise n'autorise pas un enfant à contracter, en tout ou en partie, un engagement important quel qu'il soit, mon bon souverain. Un enfant, de par son inexpérience, est considéré inapte à conclure un contrat. Donc, tout contrat qui implique le consentement d'un enfant est nécessairement nul et non avenu.

— Mais alors, pourquoi en est-il autrement dans le cas d'un contrat conclu avec le diable ? Le diable aurait-il des privilèges qui sont refusés aux sujets anglais et qui lui permettraient, à lui seul, de contracter un engagement avec un enfant ? s'écria Tom, saisi d'une vertueuse indignation.

Ce regard neuf sur la question fit naître beaucoup de sourires et fut stocké dans beaucoup de têtes afin d'être redit à la cour comme preuve de l'originalité de Tom aussi bien que de ses progrès dans la voie de la santé mentale.

La plus âgée des deux coupables ne sanglotait plus, elle était suspendue aux paroles de Tom, son intérêt éveillé, son espérance croissant. Tom le vit, et en éprouva d'autant plus de sympathie à son égard, la voyant en danger et sans amis. Si bien qu'il demanda :

— Comment ont-elles fait pour déclencher une tempête ?

— En ôtant leurs bas, sire.

Cela surprit beaucoup Tom. Cela fit aussi croître sa curiosité jusqu'à la rendre brûlante. Il s'exclama :

— Extraordinaire ! Cet épouvantable effet se produit-il toujours ?

— Toujours, mon suzerain – si du moins c'est ce que veut la femme et si elle profère les mots qu'il faut, que ce soit mentalement ou oralement.

Tom se tourna vers la femme et lui ordonna avec une impétueuse ardeur :

— Exerce tes pouvoirs… Je veux voir une tempête !

On vit des joues pâlir dans le superstitieux auditoire, et un désir contagieux, quoique inexprimé, de quitter les lieux, se répandre. Tout cela fut perdu pour Tom qui ne prêtait attention à rien, absorbé par le cataclysme qui devait se produire. Voyant une expression d'embarras et d'étonnement se peindre sur le visage de la femme, il ajouta, plein d'excitation :

— N'aie pas peur… On ne te blâmera pas. Bien plus… on te libérera… personne ne te fera de mal. Exerce tes pouvoirs !

— Ô monseigneur et Majesté, je ne les ai point… On m'accuse à tort.

— Calme tes peurs. Prends courage. Il ne te sera fait aucun mal. Déclenche-nous une tempête... si petite qu'elle soit, peu importe... Je n'exige pas qu'elle soit grosse et destructrice, quoique à vrai dire ce soit ma préférence... déclenche-la et ta vie sera épargnée... tu seras libre, ton enfant aussi, avec la grâce du roi, protégées de tout mal et de toute malveillance dans ce royaume.

La femme s'effondra et protesta, en larmes, qu'elle n'avait pas de pouvoirs pour faire un tel miracle, sans quoi elle aurait été heureuse de sauver au moins la vie de son enfant et aurait été satisfaite de ne perdre que la sienne propre, si en obéissant aux commandes du roi une grâce si chère pouvait s'acquérir.

Tom insista... Le femme s'était laissée tomber la face contre terre, et ses gémissements entrecoupés de hoquets convulsifs prouvaient qu'elle était incapable de satisfaire le caprice royal. Enfin, il dit :

— Je pense que cette femme dit la vérité. Si ma propre mère avait été en sa place et douée de capacités démoniaques, elle n'aurait pas hésité une minute à déclencher ladite tempête et à livrer la terre entière à la destruction pour sauver ma vie ! La question de savoir si les autres mères sont taillées sur le même modèle reste sujette à débat. Tu es libre, vertueuse femme... toi et ton enfant avec toi... car je pense que vous êtes bien effectivement innocentes. *À présent* tu n'as plus rien à craindre, puisque tu as obtenu ton pardon... ôte tes bas !... si jamais tu peux me déclencher une tempête tu seras riche !

La victime rachetée clama haut et fort sa gratitude, et se mit en devoir d'obéir, tandis que Tom la suivait des yeux avec une ardente impatience, quelque peu teintée d'appréhension. Les courtisans se montraient décidément mal à l'aise et en proie à un sérieux inconfort. La femme dénuda ses pieds et aussi ceux de la petite fille, et fit visiblement tout son possible pour revaloir la générosité du roi par un tremblement de terre, mais ce fut un échec et une déception. Tom poussa un soupir et dit:

— Là, brave femme, ne te dérange pas davantage, tu n'as pas de pouvoirs. Va en paix, car le diable n'a pas d'emprise sur toi. Rassurez-vous milords, nous n'aurons point d'orage.

CHAPITRE XVI

L'heure du dîner se rapprochait... et pourtant, si étrange que cela puisse paraître, cette perspective ne provoquait plus chez Tom qu'un inconfort tout relatif, un effroi quasi nul. Les événements de la matinée lui avaient offert une merveilleuse assurance. Il s'était fait à sa prison et à ses gardiens et, en moins de quatre jours, il se trouvait déjà plus acclimaté que ne l'aurait été un homme mûr au bout de plusieurs mois. Jamais la faculté qu'ont les enfants de s'adapter en toutes circonstances ne fut plus remarquablement illustrée.

La salle où allait avoir lieu le banquet royal était une vaste pièce garnie de plusieurs piliers dorés. Les murs et les plafonds étaient peints de couleurs vives et de riches tapisseries garnissaient le décor. À la porte se tenaient des gardes raides comme des statues et vêtus de somptueux costumes pittoresques. Une tribune qui faisait le tour de la salle était réservée aux musiciens et aux notables de la cité. Au centre de la pièce, l'on pouvait apercevoir une estrade où se dressait la table à laquelle devait s'asseoir le roi.

Plusieurs gentilshommes veillaient aux cérémonies qui entouraient la préparation du repas royal. Un seigneur portant une nappe immaculée s'avança et fléchit le genou trois fois avant d'étendre l'étoffe sur la table. Après une nouvelle génuflexion, cet homme se retira et céda la place à d'autres gentilshommes qui répétèrent son manège avant de garnir la table d'une salière, d'un plat de pain, d'une assiette et d'autres instruments nécessaires au repas. En dernier lieu vinrent des nobles, richement habillés. L'un d'eux portait un couteau devant servir à goûter les mets. Il se prosterna solennellement lui aussi trois fois devant l'estrade avec autant de crainte et de déférence que si le roi avait été présent.

Ces préparatifs achevés, on entendit résonner dans les corridors une fanfare, puis des cris annonçant :

— Faites place pour le roi! Faites place à Sa Très Excellente Majesté!

Ces sons se répétèrent, se rapprochèrent et, pour finir, les notes martiales s'égrénèrent et un cri retentit de nouveau :

— Faites place pour le roi!

Le brillant cortège se montra enfin à l'entrée de la pièce et y pénétra avec ostentation.

Des gentilshommes, des barons, des comtes et des chevaliers de la Jarretière défilèrent en premier. Le chancelier les suivait, escorté par deux gentilshommes qui portaient le sceptre royal et le glaive de l'État, orné de fleurs de lys en or massif. Le roi lui-même apparut ensuite, et son entrée fut ponctuée d'une salve de trompettes et de tambours. Partout, dans les galeries, des hommes et des femmes se levèrent pour l'accueillir avec beaucoup d'éclat en criant :

— Dieu protège le roi!

Des nobles attachés au service du roi fermaient la marche. À la droite et à la gauche de Tom se tenait sa garde d'honneur, constituée de cinquante gentilshommes portant des haches de combat en fer doré.

Le coup d'œil était admirable. Tom sentait son cœur se dilater et ses yeux flamboyaient de joie. Il se tenait bien droit et il était d'autant plus gracieux qu'il ne songeait point à le paraître. Son esprit était tout entier attaché au magnifique spectacle qu'il avait devant lui. Du reste, il portait avec aisance son splendide costume, ayant eu le temps de s'accoutumer aux riches habits et à ce nouveau luxe en seulement quatre jours.

Tom savait maintenant ce qu'il avait à faire. Il se souvenait des instructions de Lord Hertford et des avis secrets de Humphrey. En arrivant tout près de l'estrade, il inclina légèrement sa tête, couverte d'un grand chapeau à plumes, et avec un geste plein de courtoisie il salua les assistants en prononçant ces paroles :

— Merci, mon bon peuple.

Il se mit à table sans enlever son chapeau, ce qui ne l'embarrassa nullement. Le fait de conserver son chapeau à table étant le seul des usages royaux que les rois et les Canty eussent en commun et avec une égale ancienneté.

Au son d'une musique joyeuse, les hallebardiers – les hommes les plus grands et les mieux bâtis d'Angleterre, critères sur lesquels ils étaient choisis – firent leur entrée. Les hallebardiers entrèrent nu-tête, habillés d'écarlate et portant une série de mets dans des assiettes. Ces mets étaient reçus par un gentilhomme qui les disposait sur la table. Le goûteur faisait tester à chacun des gardes une bouchée du mets qu'il avait apporté, de peur qu'il comporte quelque poison.

Tom fit un bon dîner, en dépit de la conscience qu'il avait des centaines de regards qui suivaient le trajet de chaque bouchée vers sa bouche et le contemplaient tandis qu'il l'avalait, avec un intérêt aussi soutenu que s'il avait plutôt avalé un engin explosif devant éparpiller en débris sanglants son corps en travers de la salle. Il était attentif à mastiquer sans hâte et à ne pas se servir lui-même. Il s'en tira sans la moindre faute.

Lorsque le repas fut enfin terminé, il refit le chemin inverse au sein de sa brillante escorte, entendant les sons joyeux des éclats de trompettes, les roulements des tambours, les tonnerres des acclamations, et il sentait bien qu'il serait heureux d'endurer une pareille épreuve plusieurs fois par jour si, à ce prix, il pouvait être dispensé de quelques-unes des obligations plus lourdes que lui imposait sa royale mascarade.

CHAPITRE XVII

Miles Hendon se hâtait vers la partie du pont qui menait à Southwark, jetant des regards inquisiteurs sur tous les passants et s'attendant à finir par rattraper ceux qu'il recherchait. Cet espoir fut cependant déçu. À force de questions, il réussit à reconstituer leur piste dans une partie de la ville, puis toute trace disparut et il se demanda, perplexe, comment poursuivre. Il les chercha encore de son mieux tout le reste de la journée.

Le crépuscule le trouva épuisé, affamé, les jambes endolories, et son but toujours aussi loin d'être atteint. Il dîna à l'auberge de Tabard et alla se coucher, décidé à se lever tôt le lendemain et à fouiller la ville de fond en comble. Étendu sur son lit, réfléchissant et formant des plans, il en vint à raisonner comme suit: « Le garçon échappera-t-il, s'il le peut, à ce voyou qui se dit son père? Rentrera-t-il à Londres ou cherchera-t-il à retrouver son gîte précédent? Non, ce n'est pas là ce qu'il fera, car il voudra éviter de se faire prendre une nouvelle fois. Donc, que fera-t-il? N'ayant jamais eu aucun ami ou protecteur au monde jusqu'au moment où il m'a rencontré, il tentera bien sûr, de retrouver cet ami, pourvu qu'il le puisse sans revenir vers Londres et ses dangers. Il mettra peut-être le cap sur Hendon Hall, car il sait que je souhaitais retourner parmi les miens. »

Oui, l'affaire était simple pour Hendon. Il lui fallait ne pas perdre son temps à Southwark, mais se mettre tout de suite en route en faisant des recherches tout en marchant.

*

Plus tôt ce matin-là, le voyou que le domestique de l'auberge avait aperçu se précipita derrière le jeune homme et le roi et leur emboîta le pas aussitôt qu'ils débouchèrent dans la rue. Il ne parlait pas. Son bras gauche était en écharpe et un large emplâtre vert couvrait son œil gauche. Il claudiquait quelque peu et s'appuyait sur un gourdin de chêne pour soutenir sa marche. Le jeune homme fit parcourir au roi un trajet sinueux à travers Southwark et finit par atteindre la grand-route. Le roi était maintenant furieux et déclarait qu'il voulait arrêter là… c'était à Hendon à venir à lui, non à lui d'aller vers Hendon. Il ne tolérerait pas une telle impertinence. Il s'arrêterait là où il était. Le jeune homme lui dit :

— Tu veux t'arrêter ici et laisser ton ami blessé gisant dans ce bois là-bas ? Alors, soit !

Le roi changea soudain de langage et répliqua vivement :

— Blessé ? Qui a osé le blesser ? Conduis-moi, vite ! Plus vite, espèce d'idiot, es-tu fait de plomb ? Blessé, dis-tu ? Fût-il fils de duc, celui qui a fait cela s'en repentira !

Le bois était assez éloigné mais la distance qui les en séparait fut vite parcourue. Le jeune homme scruta les alentours, vit une branche d'arbre où était noué un petit morceau de chiffon, puis s'enfonça dans la forêt, guettant des branches semblables à la première et en trouvant de temps à autre : de toute évidence, elles devaient le conduire au but qu'il visait. Assez vite ils atteignirent une clairière où se trouvaient les restes calcinés d'une ferme incendiée, et près desquels un hangar tombait en ruines et achevait de pourrir. Aucun signe de vie nulle part, le silence régnait. Le jeune homme pénétra dans le hangar, le roi sur ses talons. Personne! Le roi lança un regard étonné et soupçonneux au jeune homme et demanda :

— Où est-il ?

Pour toute réponse, il eut droit à un éclat de rire moqueur. Le roi entra aussitôt en rage. Il s'empara d'un billot de bois et allait se précipiter sur le jeune homme quand retentit un second éclat de rire. Il se retourna et reconnut le voyou claudiquant qui les avait suivis à distance. Le roi s'adressa à lui avec colère :

— Qui es-tu ? Que viens-tu faire ici ?

— Trêve de folie, dit l'homme, calme-toi. Mon déguisement n'est pas efficace à un point tel que tu puisses prétendre ne pas reconnaître ton père.

— Tu n'es pas mon père. Je ne te connais point. Je suis le roi. Si tu as fait disparaître mon serviteur, retrouve-le, ou tu t'en mordras les doigts.

John Canty répliqua d'un ton sévère et mesuré :

— Fou ou pas, je ne sais pas ce qui me retient de t'épargner ! Il te faudra bien cesser ce petit jeu avant que je sois complètement à bout, car tu sais mieux que quiconque ce qui arrive quand je perds patience… Tous tes grands airs et tes paroles sottes ne servent à rien ici, où il n'y a personne pour s'amuser de ta comédie. Je te rappelle que j'ai tué un homme et que nous sommes en fuite. Je ne peux me permettre de te laisser aller où tu veux et courir le risque que tu me dénonces. Maintenant – entre-toi cela bien fermement dans la tête –, mon nom est désormais John Hobbs et le tien est Jack. Grave ce nom dans ta mémoire, petit drôle, et tâche de jouer ton nouveau rôle de façon convenable, pigé?

Voyant que le roi le regardait toujours avec obstination et mépris, Canty – ou plutôt Hobbs – continua ses menaces et son interrogatoire :

— T'as compris, oui ou non? Et alors? Où sont donc ta mère et tes sœurs?

Le roi répondit enfin, d'un ton boudeur:

— Ne m'énerve pas avec des devinettes. Le roi n'a de comptes à rendre à personne.

Le jeune homme près d'eux pouffa dédaigneusement et le roi allait lui sauter à la gorge, mais Hobbs l'arrêta, disant:

— Tais-toi, Hugo, n'en rajoute pas. Tu vois bien que son esprit bat la campagne. Assieds-toi, Jack, et calme-toi. Tu auras à manger très bientôt.

Hobbs et Hugo se mirent à parler entre eux à voix basse, et le roi s'écarta autant qu'il le put de ses déplaisants compagnons. Il se retira dans l'ombre au bout du hangar où il trouva le sol de terre battue recouvert de paille d'un pied d'épaisseur. Il s'y étendit, ramena de la paille sur lui en guise de couverture, et fut bientôt absorbé dans ses pensées. Il avait bien des sujets de peine, mais les plus légers étaient balayés lorsqu'il songeait à la perte de son père. Pour le reste du monde, le nom de Henri VIII causait un frisson et évoquait un ogre dont les narines respiraient la destruction, dont la main prodiguait la mort. Mais pour l'enfant, ce nom n'était lié qu'à des sensations agréables. Il revit défiler dans sa mémoire une longue succession de moments de tendresse entre son père et lui et s'y attarda avec amour. Les larmes qu'il n'essayait pas de retenir attestaient de la profondeur et de l'authenticité du chagrin qui occupait son cœur. L'après-midi s'écoulant, l'enfant, recru de misères, sombra peu à peu dans un assoupissement réparateur.

Au bout d'un long moment, ses sens revinrent en dépit d'eux-mêmes à un état de conscience. Tandis qu'il restait étendu, les yeux clos, se demandant vaguement où il était et ce qui s'était passé, il perçut un léger murmure, le clapotis maussade de la pluie sur le toit. Un sentiment de bien-être l'envahit, brisé brutalement aussitôt après par des éclats de voix rauques et de rires grossiers. Cela le fit sursauter désagréablement et il souleva la tête pour voir d'où cela provenait. Un spectacle morne et déplaisant s'offrit à son regard : un grand feu brûlait au milieu du hangar à l'autre bout. Tout autour, étrangement éclairés par sa lueur rouge, le plus bizarre ramassis de vermine et de canailles des deux sexes se vautrait sous ses yeux. Il y avait là des colosses, bruns, tannés, à longs cheveux, vêtus de haillons fantastiques ; il y avait des adolescents d'allure truculente ; il y avait des mendiants aveugles, avec des emplâtres ou des bandeaux sur les yeux ; des estropiés avec béquilles et jambes de bois ; un colporteur d'allure suspecte avec ses marchandises ; un rémouleur, un rétameur, un barbier, avec les outils de leur état. Les femmes étaient parfois à peine sorties de l'enfance, parfois en pleine jeunesse, parfois des sorcières vieilles et ridées, mais toutes étaient bruyantes, effrontées, braillardes, toutes étaient malpropres et échevelées. Il y avait trois bébés au visage couvert de pustules ainsi qu'un couple de chiens faméliques, la corde au cou, et dont la fonction était de guider les aveugles.

La nuit était venue, la horde avait festoyé, une orgie débutait, le flacon d'alcool passait de bouche en bouche. Un cri général se fit entendre:

— Une chanson! Une chanson! Allons donc, Dick-le-Chauve, chante-nous quelque chose de drôle!

Un des aveugles se leva et fit ses apprêts, rejetant les emplâtres qui cachaient ses yeux parfaitement sains et la pathétique affiche qui narrait comment cette calamité l'avait atteint. Son voisin se débarrassa de sa jambe de bois et se dressa sur ses excellentes jambes. Ensemble, ils vociférèrent un refrain hilare qui fut bientôt repris par toute la bande en chœur. Quand ils en arrivèrent au dernier couplet, l'enthousiasme des convives avinés avait atteint un degré tel que tous s'y joignirent et la braillèrent à nouveau d'un bout à l'autre, avec un volume qui ne cessait d'enfler et faisait trembler les poutres.

Le chant grivois terminé, une conversation s'ensuivit. Le roi était en mesure d'entendre chaque parole, car les brigands échangeaient en anglais, et non pas dans l'argot qu'ils emploient entre eux lorsqu'ils se croient à la portée d'oreilles ennemies. Il s'avéra que John Hobbs n'était pas une nouvelle recrue mais avait lui-même levé cette troupe à quelque moment du passé. Ses récentes mésaventures furent évoquées et quand il raconta qu'il avait «accidentellement» tué un homme, cela entraîna l'expression d'une satisfaction notable. Lorsqu'il ajouta que cet homme était un religieux, il fut applaudi à la ronde et dut trinquer avec chacun des convives. D'anciens compagnons le saluèrent avec joie et des nouveaux venus se montrèrent fiers de lui serrer la main. On lui demanda pourquoi il avait «disparu de la circulation» depuis tant de mois. Il répondit:

— Londres n'est plus sûre par les temps qui courent, où les lois deviennent intolérables et s'alourdissent sans cesse. Sans cet accident, j'y serais encore. J'avais décidé d'y rester, de ne jamais plus courir les grands chemins – mais avec l'épisode que vous savez, tout ça est fini.

Il demanda combien la troupe comportait maintenant de membres. Le chef répondit:

— Vingt-cinq, et des solides gaillards qui n'ont pas froid aux yeux à part ça. Ils sont ici pour la plupart, le reste est à l'est, le long du sentier d'hiver. On doit les rejoindre à l'aube.

— Je ne vois pas l'Encroûté parmi les honnêtes citoyens qui m'entourent. Où peut-il bien être?

— Le pauvre gars est au régime: il bouffe des cailloux à présent. Il doit avoir en ce moment son couvert mis à la table de Belzébuth et la plante des pieds doit lui chauffer. Il a été tué dans une rixe cet été.

— Désolé de l'apprendre. L'Encroûté était un gars capable, et brave avec ça.

— Brave, c'est sûr. Sa copine la Noiraude est encore des nôtres, mais pas dans l'expédition à l'est. Elle est très bien, cette petite, elle est gentille et sait se conduire, on ne l'a jamais vue se soûler plus de quatre jours par semaine.

— Elle a toujours eu des principes – je m'en souviens fort bien – une brave fille vraiment recommandable. Sa mère était plus indépendante, moins pointilleuse – une vieille sorcière ayant un très mauvais caractère –, mais elle avait l'esprit plus vif que d'autres.

— C'est ce qui nous l'a fait perdre. Son fort était les lignes de la main et la bonne aventure, et elle avait fini par avoir de la réputation. Elle a été brûlée vive, à petit feu, il y a un an. Ça m'a vraiment fait quelque chose de voir avec quelle noble allure elle a fait face à son destin – lançant des jurons et des malédictions à la foule massée autour d'elle pour regarder, alors que les flammes montaient vers son visage et prenaient à ses fines boucles et pétillaient autour de sa vieille tête grise – des jurons, ai-je dit? – ah, les jurons! De vrais vomissements de blasphèmes. Ah oui, tu pourrais vivre mille ans et ne jamais rencontrer pareille maîtrise des jurons. Hélas, son art a disparu avec elle. Il reste de pâles et faibles imitations, mais de vrais et beaux blasphèmes, point.

L'Ébouriffeur soupira; les auditeurs de même avec sympathie. La dépression s'abattit sur toute la bande pour quelques instants, car même des hors-la-loi endurcis comme ils l'étaient n'étaient pas morts à tout sentiment mais restaient capables d'éprouver fugitivement la conscience de leur perte et d'en être affligés lorsque les circonstances s'y prêtaient. Cependant, la douleur générale ne fut pas de longue durée et une bonne gorgée de boisson à la ronde restaura l'entrain de ces gens en deuil en chassant les idées sombres.

— Y en a-t-il d'autres qui manquent à l'appel? s'enquit Hobbs.

— Quelques-uns, oui. En particulier de nouvelles recrues, comme ces petits fermiers abattus et faméliques parce que leurs fermes leur avaient été retirées pour y mettre des moutons. Ils se sont mis à mendier, on les a fouettés, attachés à des charrettes et nus jusqu'à la ceinture, jusqu'au sang, et puis mis au pilori pour une grêle de coups. Ils ont mendié à nouveau, ont encore été fouettés, on leur a coupé une oreille. Ils ont mendié une troisième fois – pauvres diables, que pouvaient-ils faire d'autre ? – on les a marqués au fer rouge sur la joue et puis vendus comme esclaves. Ils se sont enfuis, on les a poursuivis et on les a pendus. L'histoire n'est pas longue, c'est vite conté. D'autres parmi nous ont été traités plus doucement. Hé, les gars, levez-vous, montrez comme vous êtes beaux !

Ceux qu'il désignait se levèrent et rejetèrent en partie leurs haillons pour exposer leur dos couturé de vieilles cicatrices en forme de croix laissées par le fouet. L'un d'eux releva ses cheveux et montra la place où avait été son oreille gauche, un autre exhiba une marque infamante sur son épaule – la lettre V – et une oreille mutilée. Le troisième raconta :

— Moi, je suis Yokel. Je fus autrefois fermier et prospère, avec une femme qui m'aimait et des enfants. Maintenant ma fortune et mon nom ont quelque peu changé : la femme et les enfants ne sont plus là – peut-être sont-ils au ciel, ou peut-être ailleurs… Mais en tout cas, Dieu soit loué, ils ne sont plus *en Angleterre* ! Ma bonne vieille innocente de mère a voulu gagner son pain en gardant des malades. L'un d'eux est mort, les médecins n'en ont pas su la cause, si bien que ma mère a été brûlée comme sorcière, sous les yeux de mes bébés hurlants. Voilà la justice anglaise ! Trinquons tous, mes amis ! buvons tous ensemble à la généreuse justice anglaise qui l'a délivrée, *elle*, de l'enfer anglais! Merci, les amis, tous tant que vous êtes. J'ai demandé l'aumône de maison en maison – moi et la femme – portant avec nous les enfants affamés. Mais c'était un crime d'être affamé en Angleterre, alors ils nous ont déshabillés et fait traverser trois villes en nous fouettant. Buvez tous une fois encore à la généreuse justice anglaise! Son fouet a bu en profondeur le sang de ma Mary et sa bienheureuse délivrance a été rapide. Elle est couchée là-bas, dans le champ du potier, bien à l'abri maintenant de tout mal. Et les enfants, eh bien, tandis que la justice me faisait fouetter de ville en ville, ils sont morts de faim. Buvez, mes amis, juste une goutte pour les pauvres enfants, qui n'ont jamais fait de mal à personne. J'ai encore demandé l'aumône, demandé une croûte, et j'ai eu droit au pilori et perdu une oreille. Vous voyez: voilà ce qu'il en reste. J'ai encore demandé l'aumône, et voilà ce qui reste de l'autre, pour que je m'en souvienne. Et pourtant j'ai encore mendié, et j'ai été vendu comme esclave. Ici, sur ma joue, sous cette tache si je la nettoyais, vous verriez la marque en forme de S laissée par le fer rouge! Un esclave! Comprenez-vous ce que ce mot veut dire! Un *esclave* anglais! Voilà ce que vous voyez debout devant vous. J'ai fui mon maître. Quand je serai repris – maudite soit la justice du pays qui en a donné l'ordre! – on me pendra!

Une voix claire traversa l'épaisseur de l'air:

— Tu ne seras *pas* pendu! Et de plus, à partir d'aujourd'hui, cette loi est abolie!

Ces paroles provenaient du fond de la grange. La troupe de gueux s'étaient retournée avec ébahissement et observait la silhouette qui s'avançait vers eux. On entendit des interjections surprises:

— Oh! c'est qui, celui-là?

— Hé! magnez-vous, y'a un intrus!

Alors on vit le petit roi s'élancer au milieu de l'assemblée interdite, et lorsqu'il se retrouva en pleine lumière, une immense explosion de rire l'accueillit. Tous criaient et l'interrogeaient en même temps.

L'enfant ne montra aucune confusion face à tous ces regards surpris et interrogateurs. Il répondit avec une dignité toute princière:

— Je suis Édouard, roi d'Angleterre.

Un éclat de rire fou s'ensuivit, tantôt méprisant, tantôt ravi face à cette excellente plaisanterie. Les gueux n'avaient jamais assisté à pareille comédie. Le roi fut piqué au vif. Il s'exclama:

— Vagabonds sans manières, est-ce ainsi que vous manifestez votre reconnaissance pour le royal cadeau que je vous ai promis?

Il continua à parler d'une voix irritée, avec des mimiques furieuses, mais ses paroles furent noyées dans un ouragan de rires et de moqueries. John Hobbs essaya plusieurs fois de se faire entendre par-dessus le tumulte et finit par y réussir, disant:

— Les amis, c'est mon fils. Il délire, il est fou, et il a perdu l'esprit – n'y prêtez aucune attention – il se prend pour le roi.

— Je *suis* vraiment le roi, dit Édouard, se retournant vers lui, tu l'apprendras à tes dépens en temps et lieu. Tu as confessé un meurtre – pour ce crime tu te balanceras au bout d'une corde.

— *Toi*, tu me trahirais! *Toi*? Attends que je t'attrape…

— Taratata! lança l'Ébouriffé, homme de puissante carrure, s'interposant à temps pour sauver le roi et redoublant ce service d'un coup de poing à Hobbs qui le jeta à terre.

— N'as-tu de respect ni pour le roi *ni* pour l'Ébouriffé? Si tu te conduis mal en ma présence ce sera moi qui te pendrai.

Il s'adressa ensuite à Sa Majesté :

— Ne menace plus tes camarades, mon garçon. Tu dois prendre garde à ne pas dire de mal d'eux au-dehors. Sois un roi, si telle est ton humeur, mais sois-le sans danger pour toi et pour nous. Renonce au titre que tu t'es donné, c'est traîtrise. Nous sommes de mauvais bougres, par quelques petits côtés, mais nul d'entre nous n'est assez vil pour trahir son roi et lui manquer de respect. Nos cœurs sont tendres et loyaux à cet égard. Vois si je dis vrai. Maintenant, tous ensemble : Vive Édouard, roi d'Angleterre !

— Vive Édouard, roi d'Angleterre !

La réponse sonna avec un enthousiasme si tonitruant de la part de l'hétéroclite équipage que le frêle bâtiment vibra de fond en comble. Le visage du petit roi s'illumina de plaisir pour une minute. Il inclina un peu la tête et dit gravement, avec simplicité :

— Mon bon peuple, je te remercie.

Cette réaction inattendue jeta l'assistance dans des convulsions de gaieté. Quand une apparence de calme se fut rétablie, l'Ébouriffé dit, avec fermeté, quoique son ton dénotait une certaine gentillesse :

— Cesse ce jeu, mon garçon, ce n'est pas sage et ce n'est pas bien. Cède à tes chimères, s'il le faut, mais choisis-toi un autre titre.

Un plaisantin suggéra d'une voix flûtée :

— Dingue Ier, roi des Lunatiques !

Ce titre fut immédiatement retenu. Toutes les gorges le répercutèrent, et un hurlement roula et s'éleva :

— Vive Dingue Ier, roi des Lunatiques ! suivi de sifflets, de miaulements et d'éclats de rire.

— Amenons-le ici, couronnons-le !

— Drapons-le dans une toge !

— Donnons-lui un sceptre !

— Mettons-le sur un trône !

— Qu'on le porte en triomphe !

Ces cris et une vingtaine d'autres furent poussés tous en même temps. Vingt-cinq brigands avaient formé un cercle autour de l'enfant et l'infortunée petite victime fut couronnée d'une casserole en fer-blanc, drapée dans une couverture en loques, juchée sur un tonneau en guise de trône et armée d'un tisonnier en guise de sceptre. Sur quoi ils se jetèrent tous à genoux autour de lui, entonnant en chœur un concert de gémissements ironiques et de simulacres de supplications, s'essuyant les yeux avec leurs manches ou leurs tabliers en guenilles :

— Doux roi, ayez pitié de nous !

— Noble Majesté, daignez ne pas piétiner les misérables vers de terre que nous sommes !

— Brillant soleil, réjouissez-nous et réchauffez-nous de vos bienfaisants rayons !

— Veuillez sanctifier ce sol en le touchant du pied et autorisez-nous à en manger la souillure pour nous ennoblir !

— Daignez cracher sur nous, Majesté, pour que nos enfants puissent évoquer votre geste courtois et en être fiers et heureux pour l'éternité !

Enfin, un des plaisantins produisit le clou de la soirée et en remporta la palme. Il s'agenouilla, affectant de baiser le pied du roi, et ayant été repoussé avec indignation, déambula en priant qu'on lui donne un chiffon à coller sur sa joue à la place où le pied l'avait touchée. Il disait que cette place devait être protégée de la vulgarité du contact de l'air, et qu'il ferait fortune en allant sur la grand-route pour exhiber cette joue au tarif de cent sous le coup d'œil. Il fit si bien mourir de rire son auditoire qu'il suscita l'envie et l'admiration de toute cette racaille mal léchée.

Des larmes de honte et d'indignation se figèrent dans les yeux du petit monarque. Il pensa, au fond de son cœur : « Ils se montrent aussi cruels que si je les avais offensés gravement. Pourtant, je ne leur ai rien fait que proposer d'être bon pour eux – et voilà comme ils me récompensent ! »

CHAPITRE XVIII

La bande de vagabonds ressortit à l'aube et se mit en route. Le ciel au-dessus de leurs têtes était bas, le sol spongieux sous leurs pieds, l'air hivernal glacé. Toute gaieté les avait quittés: certains gardaient un silence boudeur, d'autres se rebiffaient avec irritation, aucun n'était d'humeur agréable. Tous étaient assoiffés.

L'Ébouriffeur confia Jack à Hugo, avec quelques brèves instructions, et donna l'ordre à Hobbs de s'en tenir éloigné et de le laisser tranquille. Il avertit aussi Hugo qu'il ne devait pas être trop rude avec l'enfant.

Au bout d'un moment, le temps s'améliora, et les nuages s'éclaircirent quelque peu. La bande cessa de grelotter et son moral se releva. Ils se déridèrent de plus en plus et finalement échangèrent des quolibets et insultèrent les passants le long de la route. La bande tenait le haut du chemin et n'entendait pas en céder un pouce. La peur qu'ils inspiraient fut visible car tout un chacun leur cédait le passage, recevait passivement leurs gaillardises et ne s'aventurait pas à répondre. Ils volèrent parfois du linge qui séchait sur les haies, sans se cacher le moins du monde des propriétaires qui ne protestèrent pas, mais parurent seulement reconnaissants qu'ils n'aient pas emporté la haie elle aussi.

Plus tard, ils envahirent une modeste ferme et s'y installèrent comme chez eux tandis que le fermier et ses gens vidaient le garde-manger en tremblant pour leur fournir de quoi déjeuner. Ils prirent l'hôtesse et ses filles par le menton en recevant la nourriture qu'elles leur offraient, dirent des grossièretés à leur sujet, les accompagnèrent d'épithètes insultantes et rirent comme des baleines. Ils lancèrent des os et des légumes à la tête du fermier et de ses fils, les obligeant à les esquiver continuellement et applaudirent avec des hurlements de rire quand ils atteignaient leur cible. Pour finir, ils tartinèrent de beurre la tête d'une des filles qui s'était offusquée de leurs familiarités. En quittant les lieux, ils menacèrent de revenir et de brûler la maison et ses habitants si un rapport sur leur conduite parvenait aux oreilles des autorités.

Aux environs de midi, après une marche longue et épuisante, la bande s'arrêta à l'abri d'une haie aux abords d'une agglomération importante. Ils s'octroyèrent une heure de repos, puis l'équipe s'éparpilla pour entrer par différents côtés dans le village et y exercer leurs divers métiers. On adjoignit Jack à Hugo. Ils déambulèrent çà et là pendant quelque temps, Hugo guettant l'occasion de faire un bon coup mais n'en trouvant aucune – si bien qu'à la fin il dit :

— Je ne vois rien à voler. C'est un endroit vraiment morne. Donc, on va mendier.

— *On* ? s'indigna le roi. Ah, pardon ! Exercez votre métier si cela vous convient. Mais *moi* je ne mendierai pas.

— Tu ne mendieras pas ! s'exclama Hugo en attachant sur le roi un regard surpris. Et depuis quand t'es-tu amendé, je te prie ?

— Qu'entendez-vous par là?

— Ce que j'entends par là? N'as-tu pas toute ta vie mendié dans les rues de Londres?

— Moi? Vous êtes un imbécile!

— Garde pour toi tes compliments – ne gaspille pas ta salive. Ton père dit que tu as mendié toute ta vie. Il a menti, peut-être? ricana Hugo.

— Vous parlez, je crois, de celui qui prétend être mon père? Oui, il a menti. Cet homme est un imposteur.

— Dis donc, tu en as du toupet! Ne pousse pas ce petit jeu du fou si loin, camarade. Joues-y pour t'amuser, pas jusqu'à en souffrir. Si je lui raconte tout ça, il t'écorchera vif.

— Ne vous en faites pas pour moi, je ne cesse déjà de le lui répéter.

— J'admire ton courage, vraiment. Par contre ton jugement, je ne l'admire guère. Des raclées, il y en a suffisamment dans cette vie sans en plus dévier de sa route pour aller en chercher d'autres. Mais trêve de discussions. *Moi* je crois ton père. Je crois qu'il peut mentir, certes. Je crois qu'il lui arrive de mentir à l'occasion, les meilleurs d'entre nous le font. Sauf qu'en l'occurrence il n'y a pas d'occasion. Un sage n'use pas de l'excellent outil qu'est le mensonge, si cela ne lui rapporte rien. Mais admettons: si c'est ton humeur de ne plus mendier, qu'allons-nous faire d'autre? Chaparder dans les cuisines?

Le roi dit, d'un ton impatienté:

— Cessez ce jeu! Vous m'épuisez!

Hugo rétorqua avec irritation :

— Prends garde, camarade. Tu ne veux pas mendier, tu ne veux pas voler, c'est entendu. Mais je vais te dire ce que tu *vas* faire. Tu leur tendras un piège pendant que *moi* je mendierai. Refuse donc si tu l'oses !

Le roi allait répliquer avec hauteur et mépris quand Hugo l'interrompit :

— La paix ! Voici un quidam qui approche et qui paraît gentil. Je vais maintenant être pris d'un accès et tomber par terre. Quand cet étranger accourra vers moi, toi tu éclateras en plaintes et tomberas à genoux en te donnant l'air de pleurer. Puis tu te mettras à crier comme si tu avais tous les diables de la misère dans ton ventre. Tu diras : «Oh, monsieur, c'est mon pauvre frère qui est malade ! Nous n'avons pas d'ami. Pour l'amour de Dieu, offrez un regard à cet infirme désolé et des plus misérables. Prodiguez un tout petit sou prélevé sur votre richesse à celui que Dieu a frappé et qui est près de périr !» Et attention, ne cesse pas de te lamenter tant qu'on n'aura pas tiré de lui ce sou, ou tu le regretteras.

Sans attendre de réponse, Hugo se mit tout de suite à geindre, à grogner, à rouler les yeux, à trébucher et tâtonner autour de lui. Quand l'étranger se rapprocha, il se laissa tomber et rampa à ses pieds avec un grand cri et commença à se tordre et se rouler dans la poussière, apparemment dans des convulsions d'agonie.

L'étranger s'était approché avec émotion. Le faux épileptique avait poussé un cri déchirant.

— Oh mon Dieu, oh mon Dieu!, s'écria le gentil étranger. Oh, le pauvre petit, le pauvre petit, comme il souffre! Là… laisse-moi t'aider à te relever.

— Oh, noble seigneur, pardon, Dieu vous le rende et vous tienne pour gentilhomme et prince… mais cela me fait très mal qu'on me touche quand je suis pris ainsi. Mon frère que voici va raconter à Votre Seigneurie le martyre que j'endure quand ces accès me saisissent. Donnez-moi un sou, cher seigneur, un sou, de quoi acheter un peu de nourriture, et laissez-moi à mes souffrances.

— Un sou! Trois sous que tu auras, infortunée créature.

Il fouillait fébrilement dans sa poche et sortit plusieurs pièces de monnaie.

— Là, mon pauvre petit, prends-les, ne me remercie pas, continua-t-il. Et toi, viens ici, garçon, et aide-moi à porter ton frère affligé vers la maison là-bas, où…

— Je ne suis pas son frère, dit le roi, l'interrompant.

— Quoi! Pas son frère?

— Oh, écoutez-le! sanglota Hugo qui à part lui grinçait des dents. Il renie son propre frère – qui a un pied dans la tombe!

— Garçon, tu as véritablement le cœur dur, s'il est ton frère, intervint l'étranger. N'as-tu pas honte? Lui qui est à peine capable de bouger la main ou le pied. S'il n'est pas ton frère, qu'est-il donc alors?

— Un mendiant et un voleur. Il vous a extorqué votre argent. Et si vous voulez opérer une guérison miracle, posez votre bâton sur ses épaules et la Providence fera le reste.

Mais Hugo n'attendit pas le miracle. Il s'était déjà relevé et avait filé comme le vent tandis que le monsieur le poursuivait, criant à pleins poumons :

— Au voleur !

Le roi, débordant de gratitude envers le Ciel quant à sa propre délivrance, fila dans la direction opposée et ne ralentit pas sa course avant de s'être retrouvé hors de portée. Il s'élança sur la première route qui s'offrit et eut tôt fait de perdre de vue le village. Il continua à courir de toutes ses forces pendant plusieurs heures, jetant de nerveux coups d'œil par-dessus son épaule et craignant des poursuites, mais ses peurs finirent par se calmer, faisant place à un sentiment de sécurité. Il s'apercevait maintenant qu'il avait faim et aussi qu'il était très fatigué. Il s'arrêta donc dans une ferme, mais alors qu'il allait parler, on lui coupa la parole et on le fit sortir avec rudesse. Il avait oublié qu'il était en haillons.

Il continua son errance, blessé et indigné, résolu à ne plus s'exposer à se faire maltraiter. Mais la faim est plus forte que l'orgueil, si bien qu'à l'approche du soir il fit une nouvelle tentative dans une autre ferme. Sa réception y fut pire que la précédente : on le traita de tous les noms, on le menaça de le faire arrêter comme vagabond s'il ne déguerpissait pas au plus vite.

La nuit arrivait, le temps était glacial. En dépit de ses pieds douloureux, le monarque marchait toujours, de plus en plus lentement. Il était obligé de marcher : chaque fois qu'il s'asseyait pour se reposer le froid le pénétrait jusqu'aux os. Tout ce qu'il éprouvait, tout ce qu'il vivait tandis qu'il traversait toute cette nuit obscure, immense et solennelle, tout était pour lui nouveau et étrange. Par moments, il entendait des voix poindre, passer, puis s'éloigner, et il y avait dans leur surgissement quelque chose de spectral et de surnaturel qui le faisait frissonner. Il lui arriva parfois d'apercevoir une lueur vacillante, mais si lointaine qu'elle semblait provenir d'un autre monde. S'il percevait le tintement de la cloche d'un bélier, ce tintement était vague, lointain et indistinct. L'air était rempli de sourds beuglements qui se mouraient dans la nuit et la rendaient plus sinistre. De temps à autre s'élevait le hurlement d'un chien par-dessus les étendues obscures des champs et des forêts. Tous les sons étaient si distants qu'ils amenaient le jeune roi à ressentir toute vie, toute activité comme éloignée et indisponible, et à se percevoir lui-même comme solitaire, sans compagnon, au centre d'une solitude incommensurable. Le pauvre roi se croyait dans un pays maudit, désolé, abandonné par les humains.

Il continuait à marcher en trébuchant, mourant de frayeur à chaque sensation nouvelle, sursautant parfois au doux froissement des feuilles sèches au-dessus de sa tête, tant elles évoquaient des chuchotements humains. À la fin, il tomba soudain sur la lumière d'une lanterne de fer-blanc toute proche. Il se recula dans l'ombre et attendit. La lanterne était posée devant la porte ouverte d'une grange. Le roi patienta un peu. Pas de bruit, pas de mouvement, personne. Il avait si froid, à rester immobile, et cette grange hospitalière était si engageante qu'il se décida à tout risquer et à entrer. Il commençait à s'y faufiler vite et sans bruit quand au moment où il en franchissait tout juste le seuil il entendit des voix derrière lui. Il se dissimula derrière une jarre à l'intérieur de la grange et s'accroupit.

Deux garçons de ferme entrèrent, apportant la lanterne avec eux, et se mirent au travail tout en discutant. Tandis qu'ils allaient et venaient avec la lumière, le roi fit bon usage de ses yeux et repéra une stalle de bonnes dimensions à l'autre bout du local. Il avait pour plan de gagner cet endroit quand il serait laissé seul. Il nota aussi la place d'une pile de couvertures pour chevaux, à mi-chemin, et projeta de les réquisitionner pour le service de la couronne d'Angleterre cette nuit-là.

Enfin, les valets de ferme vinrent à bout de leur tâche et s'en allèrent, refermant la porte derrière eux et emportant la lanterne. Le roi qui tremblait de froid se dirigea vers les couvertures aussi vite que l'obscurité le lui permettait, les souleva, puis, à tâtons, arriva ensuite sain et sauf jusqu'à la stalle. Avec deux couvertures il se confectionna un lit, se recouvrit des deux couvertures restantes. Il était maintenant un monarque heureux, même si les couvertures étaient vieilles, amincies, pas tout à fait suffisamment chaudes, et dégageaient une puissante odeur de cheval d'une force presque suffocante. Il était au comble de la félicité car il avait trouvé un gîte.

Bien que le roi fût affamé et gelé, il était par ailleurs si fatigué et ensommeillé que ces deux dernières caractéristiques l'emportèrent d'abord sur les autres et il finit par s'assoupir, à demi conscient. C'est alors que, juste au moment où il allait sombrer complètement dans le sommeil, il sentit nettement quelque chose l'effleurer! Il fut instantanément réveillé, reprenant difficilement son souffle. La froide horreur de ce mystérieux contact dans le noir fit presque cesser son cœur de battre. Il resta étendu sans bouger et écouta, respirant à peine. Rien ne bougea, aucun bruit ne se fit entendre. Il continua à écouter, et à attendre, pendant un temps qui sembla long. Rien ne bougea, encore une fois, aucun bruit ne se fit entendre. Trahi par ses forces, il se laissa retomber sur son lit improvisé puis il s'assoupit à nouveau. Aussitôt, il se sentit mystérieusement effleuré une fois encore. C'était affreux, ce contact léger d'une présence muette et invisible. Le pauvre enfant avait l'âme violemment agitée. Que devait-il faire? Devait-il renoncer à ce gîte raisonnablement confortable pour fuir cette indéfinissable horreur? Mais fuir où donc? Il ne pouvait sortir de la grange et se sauver à l'aveuglette dans le noir. Rester là où il était et endurer une telle mort vivante pendant toute la nuit – était-ce mieux? Non. Demeurer prisonnier de ces quatre murs, avec ce fantôme qui lui infligerait ce doux et odieux contact sur la joue ou sur l'épaule à chaque détour, c'était intolérable. Que restait-il donc à faire? Voyons! il y avait une chose à faire, une seule, il le savait bien – il fallait étendre la main et trouver cet objet.

Il était facile d'y penser; mais bien dur de se forcer à le faire. Par trois fois il avança quelque peu sa main, avec une extrême prudence, et la retira précipitamment avec un cri étouffé – non parce qu'il avait rencontré quelque chose mais parce qu'il avait été tout à coup sûr que cela *allait* se produire. Mais la quatrième fois il tâtonna un peu plus loin, et sa main rencontra quelque chose de doux et de chaud. Il se rejeta en arrière, pétrifié de terreur. Son état d'esprit était tel qu'il s'imaginait que l'objet n'était rien d'autre qu'un cadavre fraîchement tué et encore chaud. Il se dit qu'il mourrait plutôt que de le toucher à nouveau. Mais il eut tort de penser cela, et la curiosité l'emporta sur la raison. En fort peu de temps sa main, tout en tremblant, avait recommencé – en dépit de son jugement, en dépit de lui-même – à tâtonner avec persistance. Elle rencontra une longue chevelure. Il frémit, mais suivit cette chevelure et rencontra une sorte de corde tiède. Il suivit la « corde » (en fait une queue) et trouva... un veau qui dormait innocemment.

Le roi fut tout honteux en son for intérieur d'avoir éprouvé un tel effroi et de s'être senti à tel point misérable pour une cause aussi dérisoire qu'un veau à moitié endormi. Ce n'était pas tant le veau qui l'avait épouvanté, mais la terrifiante chose sans existence que ce veau était devenu. Tout autre garçon, à cette lointaine époque de superstitions, aurait agi et souffert comme lui.

Non seulement le roi fut ravi que la créature n'était qu'un veau, mais il trouvait délicieux d'avoir ce veau pour compagnon. Il s'était senti si seul et sans ami que même la société et la camaraderie de cet humble animal lui étaient bienvenues. Et il avait été si rudoyé, si maltraité par sa propre espèce, que ce lui fut un grand réconfort de sentir qu'il se trouvait enfin au contact d'une créature amicale et fraternelle, douée d'une gentillesse d'esprit et d'un cœur doux. Il décida par conséquent d'oublier son rang et de nouer une amitié avec le veau.

Tandis qu'il caressait ce dos lisse et tiède – en effet la bête était couchée près de lui et d'atteinte facile – il lui vint soudain à l'idée que ce veau pouvait lui servir de plus d'une façon. En vertu de quoi il réarrangea son lit, l'installant près de l'animal, puis il se blottit contre le dos du veau, tira sur lui les couvertures, ainsi que sur son ami, et en une ou deux minutes trouva autant de chaleur et de confort qu'il en avait jamais eu sous les édredons du palais royal de Westminster.

Des pensées paisibles l'envahirent aussitôt; la vie présentait une perspective plus joyeuse. Il était libéré des chaînes de la servitude et du crime, libéré de la compagnie de vils et brutaux hors-la-loi. Il avait chaud, il était à l'abri, bref, il était heureux. Le vent nocturne se levait et balayait le sol en nerveuses rafales qui ébranlaient l'antique grange et la faisaient sonner. Les forces du vent s'éteignaient parfois en gémissant, en poussant des plaintes dans les coins et dans les dépendances – mais tout cela pour le roi maintenant si bien installé et si confortable n'était que musique. Il se borna à se rapprocher de son ami, dans un luxe de tiédeur et de satiété, et s'abîma dans l'inconscience, dans le bonheur d'un sommeil profond et sans rêves, empli de paix et de sérénité. Les chiens hurlaient au loin, le bétail mélancoliquement mugissait, la fureur des vents continuait à se déchaîner, tandis que des paquets de pluie dégoulinaient furieusement le long du toit, mais la Majesté de l'Angleterre dormait sereine, et de même faisait le veau, créature qui dans sa simplicité ne se laissait pas troubler par des tempêtes ni embarrasser par le fait de dormir avec un roi.

CHAPITRE XIX

Quand le roi s'éveilla au petit matin, il découvrit qu'un être mouillé mais avisé, un rat, s'était glissé dans le lit au cours de la nuit et s'était pelotonné confortablement sur sa poitrine. Maintenant on le dérangeait et le petit animal s'esquiva. L'enfant sourit :

— Pauvre bête, dit-il, pourquoi as-tu si peur? Je suis aussi seul que toi. Ce serait honteux de ma part d'aller tourmenter une créature abandonnée, alors que je suis si abandonné moi-même. De plus, je dois te remercier de l'heureux présage que tu incarnes, car lorsqu'un roi est tombé si bas que même les rats établissent sur lui leur lit, cela ne peut que signifier que son sort va s'améliorer, puisqu'il est évident que ce sort ne peut pas devenir pire.

Il se leva et quitta la stalle. Au même moment, il entendit un bruit de voix d'enfants. La porte de la grange s'ouvrit et deux petites filles entrèrent. Dès qu'elles le virent elles cessèrent de causer et de rire, s'immobilisèrent et restèrent debout, le contemplant avec beaucoup de curiosité. Ensuite elles se mirent à chuchoter entre elles. Elles se rapprochèrent de lui pour le regarder et chuchoter encore, les yeux grand ouverts. Finalement, elles prirent leur courage à deux mains et émirent leurs commentaires à voix haute. L'une d'elles déclara :

— Il a une jolie figure.

L'autre renchérit :

— Et de beaux cheveux.

— Mais il est assez mal habillé.

— Et il a l'air d'avoir faim.

Elles firent quelques pas de plus, se mettant timidement de part et d'autre du roi. Elles l'examinèrent sous toutes les coutures comme s'il eût été un animal d'un nouveau genre, mais en restant sur leurs gardes, comme si elles craignaient qu'il ne fût le genre d'animal qui pourrait les mordre à l'occasion. Finalement, elles se plantèrent devant lui, se tenant les mains en manière de protection, et le dévisagèrent longuement une bonne fois jusqu'à satiété de leur regard innocent. L'une d'elles rassembla tout son courage et lui posa une question directe :

— Garçon, qui es-tu ?

— Je suis le roi, répondit-il gravement.

Les petites filles sursautèrent quelque peu, leurs yeux s'écarquillèrent. Cette réponse articulée gravement parut les intimider et elles restèrent ainsi, muettes de surprise, pendant de longues minutes. Puis la curiosité leur fit briser le silence.

— Le *roi* ? Quel roi ?

— Le roi d'Angleterre.

Les enfants se regardèrent – le regardèrent – se regardèrent à nouveau – étonnées et perplexes. L'une d'elles dit :

— Tu l'as entendu, Marge? Il a dit qu'il est le roi. Est-ce possible?

— Comment est-ce que cela pourrait ne pas être vrai, Prissy? Peut-il mentir? Car vois-tu, si ce n'était pas vrai, ce serait un mensonge. Un vrai de vrai. Alors, réfléchis. Parce que tout ce qui n'est pas vrai, c'est des mensonges. Tu ne peux pas appeler cela autrement.

Ce raisonnement naïf était d'une grande justesse, sans aucune faille, et Prissy s'en contenta. Elle considéra la question quelques minutes et pour finir mit le roi en face de ses responsabilités en se bornant à lui dire:

— Si tu es vraiment le roi, alors je te crois.

— Je suis vraiment le roi.

L'affaire fut ainsi réglée. La royauté de Sa Majesté était chose établie sans contestation dorénavant, et les deux petites filles se mirent tout de suite à lui demander comment il en était arrivé où il était, pourquoi il était si peu royalement vêtu, s'il était prisonnier, et tout le reste de ses affaires. Il fut extrêmement soulagé de pouvoir raconter ses ennuis en un lieu où ils ne susciteraient ni mépris ni incrédulité. Il conta son histoire sur un ton pénétré, oubliant, pour un temps, combien il avait faim. Son récit fut écouté avec la sympathie la plus vive et la plus tendre par ces douces créatures. Mais quand il en vint à ses dernières mésaventures et qu'elles surent depuis combien de temps il n'avait rien mangé, elles le firent taire et se précipitèrent à la ferme pour lui rapporter un petit déjeuner.

Le roi était très content et heureux maintenant, et il se disait: «Quand je recouvrerai mon bien, je ferai une loi qui obligera tout le monde à honorer les enfants. Je me souviendrai comme celles-ci m'ont fait confiance et ont cru ce que je disais, au milieu des difficultés que je traversais et alors que des gens plus âgés et qui se croyaient plus sages se sont moqués de moi et m'ont tenu pour menteur. »

La mère des fillettes accueillit le roi avec gentillesse et fut pleine de compassion. Le triste état où il se trouvait, et le dérangement apparent de son esprit, touchaient son cœur de femme. Elle était veuve et assez pauvre, en conséquence de quoi elle avait affronté suffisamment de difficultés pour la rendre capable de sympathie à l'égard des infortunés. Elle se figura que cet enfant toqué avait fui ses amis ou ses gardiens. Elle s'efforça donc de savoir d'où il était venu, afin de pouvoir agir en vue de son retour, mais toutes ses allusions aux villes ou aux villages environnants, toutes ses questions du même ordre, furent vaines – le visage du garçon, de même que ses réponses, montraient assez que ces sujets ne lui étaient guère familiers. Il parlait avec sérieux et simplicité des affaires de la cour, il s'effondra plus d'une fois en larmes quand il fut question du feu roi son père. Dès que la conversation déviait vers des sujets plus terre à terre, son intérêt se relâchait et il retombait dans le silence.

La femme était très perplexe ; mais elle n'abandonna pas. Tandis qu'elle cuisinait, elle aborda divers thèmes dans le but d'amener par surprise l'enfant à trahir ses véritables secrets. Elle parla de bétail, mais n'obtint pas de réponse. Des moutons – même résultat. Donc, contrairement à ses conjectures, il n'avait pas été berger. Elle parla de moulins, de tisserands, de ferblantiers, de forgerons, de commerces et de commerçants en tous genres, d'asiles d'aliénés, de prisons, d'hospices; mais sur tous ces sujets elle fut déçue. Tout n'était pas épuisé cependant: selon elle il restait encore une possibilité, à savoir le service domestique. Oui, c'était certain, elle devait être maintenant sur la bonne piste – sûrement il avait servi dans quelque maison. Elle introduisit donc ce thème. Mais le résultat en fut décourageant. Parler de balayage sembla l'ennuyer complètement, l'allumage du feu ne parut nullement l'intéresser, le récurage des casseroles ne produisit chez lui aucun enthousiasme. Alors, cette bonne personne en vint, avec un espoir qui s'amenuisait, et plutôt pour la forme, à parler de cuisine. Elle fut surprise et ravie de voir aussitôt le visage du roi s'illuminer! Ah, elle le tenait cette fois, pensait-elle, et elle n'était pas peu fière des moyens indirects et pleins de tact qu'elle avait su employer pour y arriver.

Elle put enfin donner du repos à sa langue fatiguée: car celle du roi, inspiré par une faim dévorante et le délicieux fumet de ce qui fricassait dans les casseroles se délia, et se livra à des dissertations si éloquentes autour de certains plats délectables, qu'en moins de trois minutes la femme put se dire: «En vérité, j'avais raison: il a servi dans une cuisine!» Puis il se mit à étoffer son menu, et le commenta avec tant d'animation et tant de détails que la brave femme se dit: «Seigneur, comment peut-il connaître tant de plats, et de si raffinés en plus? Car ce qu'il décrit n'existe que sur les tables des riches et des grands. Ah, je vois maintenant: tout déguenillé qu'il est, il aura servi au Palais avant que sa raison ne s'égare. Oui, il doit avoir été marmiton dans la cuisine même du roi. Je vais le mettre à l'épreuve.»

Très désireuse de faire la preuve de sa sagacité, elle demanda au roi de surveiller quelques instants un plat qui cuisait, lui suggérant qu'il pouvait le retoucher et le compléter s'il le désirait, puis elle sortit de la pièce et fit signe à ses enfants de la suivre. Le roi marmonna :

— Un autre souverain anglais a eu à assumer une responsabilité du même ordre, à une époque lointaine. Cela n'est en rien contraire à ma dignité de me charger d'un office qu'Albert le Grand condescendit un jour à exercer. Mais je vais m'efforcer de faire mieux que lui, car il laissa les gâteaux brûler.

Ses intentions étaient bonnes, mais le résultat ne suivit pas, car ce roi, comme l'autre, s'absorba bientôt dans de profondes réflexions concernant les vastes sujets dont il avait à s'occuper, et la calamité se produisit encore une fois : le plat brûla. La femme fut de retour de justesse pour sauver le petit déjeuner d'une destruction complète, et tira le roi de ses rêves par de vives remontrances. Puis, voyant combien il était affligé d'avoir déçu sa confiance, elle se radoucit tout de suite et ne fut plus que bonté et gentillesse à son égard.

Le roi eut droit à un solide repas qui le rassasia, il retrouva forces et joie de vivre. Ce repas comportait une caractéristique inhabituelle : de part et d'autre les convives se faisaient des concessions et condescendaient à déroger de leur rang, mais personne n'avait conscience de la faveur qui était accordée. La brave femme avait eu l'intention de nourrir le petit vagabond de croûtes dans quelque coin, comme tout vagabond ou comme un chien, mais elle avait de tels remords de l'avoir grondé qu'elle fit ce qu'elle put pour compenser cela en l'autorisant à s'asseoir à la table familiale et à prendre son repas avec ses supérieurs. Le roi, de son côté, se repentait d'avoir déçu sa confiance, après avoir été traité avec tant de bonté par cette famille, qu'il se contraignit à racheter sa faute en s'abaissant à leur humble niveau et en s'abstenant d'exiger que la femme et ses enfants demeurent debout et le servent pendant qu'il s'attablerait tout seul conformément aux exigences de sa naissance et de son rang. La brave femme fut heureuse toute la journée, s'applaudissant de sa bonté vis-à-vis un misérable vagabond, et le roi était tout aussi satisfait de l'humilité dont il avait fait preuve face à une simple paysanne.

Quand le repas fut terminé, la maîtresse de maison demanda au roi de laver la vaisselle. Cet ordre déconcerta d'abord le roi et il fut sur le point de se rebeller, mais sur ce, il se dit : «Alfred le Grand, qui surveillait les gâteaux, sans nul doute faisait la vaisselle également – donc, je vais m'y essayer.»

Il s'en tira plutôt mal et il en fut surpris, car le nettoyage de cuillers en bois et de hachoirs avait semblé une tâche facile. Il eut à fournir des efforts prolongés et fastidieux mais il en vint à bout. L'impatience le gagnait maintenant de reprendre son voyage. Cependant, il n'allait pas être débarrassé de l'hospitalité de la dame si facilement. Elle lui fit faire quelques petits brins de travaux, services qu'il rendit avec élégance et quelque fierté. Puis elle l'envoya avec les petites peler des pommes, mais il s'y montra si maladroit que ce travail lui fut retiré et elle lui donna un couteau de boucher à affûter. Après cela elle l'immobilisa pour carder de la laine. Il se dit qu'il avait laissé bien loin derrière lui le roi Alfred, qu'il avait fait preuve d'un héroïsme beaucoup plus grand que son illustre ancêtre et qu'il était presque temps pour lui de démissionner. Alors, quand la gentille fermière lui donna, juste après le déjeuner, un panier de petits chats pour qu'il aille les noyer à la rivière, il démissionna pour de bon. Du moins, il était sur le point de démissionner – car il fallait bien mettre le holà quelque part, et il lui semblait que de confier à un roi la noyade de chatons dépassait les bornes – lorsqu'une interruption eut lieu. L'interruption, ce fut John Canty alias Hobbs – avec une hotte de colporteur sur le dos – et Hugo!

Le roi vit ces misérables s'approcher de la grille avant qu'ils eussent eu l'occasion de l'apercevoir. Il s'empara aussitôt du panier de petits chats et sortit tranquillement sans mot dire. Il laissa les petites créatures dans un hangar et s'engagea en hâte dans un étroit chemin par derrière.

CHAPITRE XX

Une haie haute le dissimulait maintenant aux regards, si bien qu'il s'abandonna à l'impulsion d'une frayeur mortelle et se mit à courir à toute vitesse vers un bois qu'il voyait au loin. Il ne se retourna pas une seule fois avant d'atteindre l'orée de la forêt. Il regarda alors derrière lui et aperçut deux silhouettes dans le lointain. Cela lui suffit, il n'attendit pas de pouvoir les examiner plus à fond et il poursuivit sa course sans jamais ralentir jusqu'à ce qu'il se fût bien enfoncé dans les profondeurs crépusculaires du sous-bois. Il s'arrêta alors, car il était convaincu d'être maintenant raisonnablement sauf. Il écouta intensément, mais le silence était profond, solennel – terrible, même, et moralement déprimant. À de rares moments son oreille qui devenait exercée perçut effectivement des bruits, mais si distants, si creux, si mystérieux, qu'ils semblaient ne pas être des bruits réels mais les fantômes gémissants et plaintifs d'êtres disparus. Si bien que les sons étaient plus effrayants encore que le silence qu'ils venaient briser.

Il voulut d'abord se coucher et rester là où il était jusqu'à la fin du jour, mais le froid saisit bientôt son corps en sueur et il dut finalement reprendre sa route pour se réchauffer. Il alla tout droit à travers la forêt, dans l'espoir qu'il finirait par déboucher sur quelque route, mais cet espoir fut déçu. Il avança encore et encore, mais le bois devenait à chaque

187

pas plus dense. L'obscurité ne cessait de gagner et le roi prit conscience que la nuit arrivait. L'idée de passer celle-ci en un lieu si inhospitalier le fit frémir. Il tenta de se hâter davantage, mais il ne fit que ralentir sa marche, car il n'y voyait plus assez bien pour placer correctement ses pieds. Il ne cessait de trébucher sur des racines et de se prendre aux plantes grimpantes et aux fougères.

Quelle ne fut pas sa joie lorsqu'enfin il perçut un rayon de lumière! Il approcha précautionneusement, s'arrêtant souvent pour regarder autour de lui et écouter. La lumière provenait d'une ouverture de fenêtre sans vitres d'une petite hutte. Il entendait maintenant une voix et faillit s'enfuir pour se cacher, mais il se reprit aussitôt car cette voix était visiblement en prière. Il se glissa vers l'unique fenêtre de la hutte, se haussa sur la pointe des pieds et jeta un coup d'œil à l'intérieur. La pièce était petite, le sol était de terre, battue par l'usage. Dans un coin se trouvaient un lit de joncs et une ou deux couvertures en loques. À côté, il y avait un seau, une tasse, une cuvette, et deux ou trois pots et casseroles. Il y avait aussi un petit banc et un tabouret à trois pieds. Dans l'âtre, les restes d'un feu de fagots étaient en train de s'éteindre. Devant un autel, qui était éclairé par un cierge unique, était agenouillé un vieil homme, et sur une antique boîte en bois près de lui reposaient un livre ouverte et un crâne. L'homme était de large carrure, aux os solides. Ses cheveux et sa moustache étaient très longs et blancs comme neige. Il était habillé d'une tunique en peau de mouton qui le recouvrait de la nuque aux chevilles. « Un saint homme, se dit le roi, c'est vraiment mon jour de chance! »

L'ermite se releva. Le roi frappa à la porte. Une voix profonde lui répondit:

— Entre, mais laisse le péché derrière toi, car le sol que tu foules est saint!

Le roi entra, et resta immobile. L'ermite dirigea vers lui un regard flamboyant, et demanda:

— Qui es-tu?

— Je suis le roi, répartit Édouard sur un ton simple et tranquille.

— Bienvenue, ô roi, s'écria l'ermite, avec enthousiasme.

Puis, s'activant fiévreusement et répétant sans cesse:

— Bienvenue, bienvenue!

Il installa le banc, y assit le roi près du foyer, jeta des fagots dans le feu, puis se mit à arpenter le sol d'un pas nerveux.

— Bienvenue! Beaucoup ont cherché un sanctuaire ici, mais ils ne le méritaient point et furent repoussés. Mais un roi qui rejette sa couronne et méprise les vaines splendeurs de sa fonction, qui se vêt de haillons pour vouer sa vie à la sainteté et à la mortification de la chair – celui-là est digne d'entrer, celui-là est bienvenu! Qu'il passe ici tous ses jours jusqu'à sa mort.

Le roi se hâta de l'interrompre et de s'expliquer, mais l'ermite ne lui prêta aucune attention, ne sembla même pas l'entendre, mais continua à parler de plus en plus fort et avec une énergie croissante.

— Et ici tu connaîtras la paix. Nul ne trouvera ton refuge pour venir te supplier que tu reviennes à cette vide et folle existence que Dieu t'a conduit à abandonner. Ici tu prieras, tu étudieras la Bible, tu méditeras sur les folies et les illusions de ce bas monde, et sur le sublime monde à venir. Tu te nourriras de croûtons et d'herbes, et tu lacéreras ton corps de coups de fouet quotidiens afin de purifier ton âme. Tu porteras un cilice tout contre ta peau. Tu ne boiras que de l'eau. Tu connaîtras la paix, oui, une paix totale, car celui qui viendra pour te chercher repartira bredouille, ne te trouvera point.

Le vieil homme, arpentant toujours la pièce en long et en large, cessa de parler à haute voix : il commença à marmotter. Le roi sauta sur cette occasion d'exposer son cas, ce qu'il fit avec d'autant plus d'éloquence qu'il se sentait mal à l'aise et appréhendait ce qui allait suivre. Mais l'ermite continua à marmotter et ne lui prêta aucune attention. Il s'approcha du roi, baissa son visage près de celui de l'enfant et parla avec autorité :

— Chut ! Je vais te révéler un secret !

Il se pencha comme pour le dire mais s'immobilisa et parut écouter quelque chose. Après quelques instants, il se dirigea sur la pointe des pieds vers la petite fenêtre, sortit sa tête et examina les environs, puis toujours sur la pointe des pieds revint au roi, approcha de lui son visage et chuchota :

— Je suis un archange !

Le roi tressaillit violemment, se disant :

— Ah ! mon Dieu ! Pourquoi ai-je fui les voleurs ? Car, voyez-moi cela, je suis maintenant enfermé avec un fou !

Ses craintes ne faisaient que croître, et cela se voyait sur son visage. D'une voix basse, excitée, l'ermite poursuivait :

— Je vois que tu perçois le halo qui m'entoure! Il y a sur ta figure respect et crainte! Nul ne peut pénétrer ce halo sans en éprouver de vertige car ce halo est le ciel même. Là je vais et de là je reviens en moins de temps que l'éclair d'un regard. Je fus fait archange ici même, il y a cinq ans de cela, par des anges envoyés du ciel pour me conférer cette dignité redoutable. Leur présence remplit alors ces lieux d'un insoutenable éclat. Et devant moi ils plièrent le genou, oui, roi, devant moi car je leur étais supérieur. J'ai parcouru le ciel et j'ai conversé avec les patriarches. Touche ma main – n'aie pas peur – touche-la donc. Là – voici que tu as touché une main qu'ont serrée Abraham, Isaac et Jacob! Car j'ai grimpé les marches du trône, j'ai vu la Divinité face à face!

Il s'arrêta pour laisser à ses paroles le temps de produire leur effet. Son expression se modifia alors tout à coup et il sauta sur ses pieds à nouveau, disant, avec énergie et colère:

— Oui, je suis un archange, *un pur archange*! J'aurais pu être pape! C'est la vérité vraie. Cela me fut révélé par le ciel au moyen d'un rêve, il y a de cela vingt ans. Ah oui! j'étais destiné à être pape! Et j'aurais *dû* l'être, ainsi l'avait dit le Ciel – mais le roi dispersa mon couvent et moi, pauvre moine, obscur et sans amis, je me vis jeté dans le monde, sans foyer, dépouillé de mon haut destin!

Sur quoi il se reprit à marmotter, et à frapper son front, en proie à une rage dérisoire. Il proférait parfois quelque venimeuse imprécation, et parfois un pitoyable: «C'est ainsi que je ne suis qu'un archange, moi qui aurais dû être pape!»

Il continua ainsi pendant une heure, tandis que le pauvre petit roi demeurait assis et souffrait. Puis tout à coup l'excitation du vieil homme tomba et il devint tout à fait gentil. Sa voix s'était adoucie, il était descendu de ses nuages, et il se mit à causer d'une façon si simple et si humaine qu'il eut bientôt conquis le cœur du roi entièrement. Le vieux dévot rapprocha l'enfant du feu et l'installa confortablement. Il soigna ses ecchymoses et ses écorchures avec adresse et amour, puis se mit à préparer le dîner tout en bavardant agréablement sans arrêt, en caressant la joue de l'enfant ou sa tête, avec tant de douceur et de gentillesse qu'en peu de temps toute la peur et la répulsion qu'avait suscitées l'archange firent place à du respect et de l'affection pour cet homme.

Cet état heureux se prolongea tandis que tous deux dînaient. Ensuite, après une prière devant le sanctuaire, l'ermite mit l'enfant au lit, dans une petite pièce annexe, le bordant aussi délicatement et tendrement qu'une mère aurait pu le faire. Avec une ultime caresse, il le laissa et alla s'asseoir près du feu, qu'il se mit à tisonner distraitement et sans but, l'air absent. Il finit par s'arrêter, puis il se frappa le front plusieurs fois avec les doigts, comme s'il essayait de rappeler à son souvenir quelque chose qu'il aurait oublié. Apparemment il n'y réussit pas. Il se releva vivement, entra dans la chambre de son hôte, et dit:

— Tu es roi?

— Oui, fut la réponse ensommeillée.

— Roi de quoi?

— Roi d'Angleterre.

— Roi d'Angleterre! Alors Henri n'est plus!

— Hélas, c'est exact. Je suis son fils.

Une sombre grimace contracta le visage de l'ermite et il serra ses poings osseux avec une énergie vengeresse. Il resta immobile quelques instants. Sa respiration s'accélérait et il avala plusieurs fois de suite. Il dit enfin d'une voix rauque :

— Sais-tu que c'est lui qui nous chassa et nous jeta dans le monde, sans logis, sans foyer ?

Il n'y eut pas de réponse. Le vieil homme se pencha et scruta le paisible visage de l'enfant, écouta sa respiration tranquille. « Il dort, se dit le vieil homme, il dort profondément. » Le froncement de sourcils s'effaça et fit place à une expression de vilaine satisfaction. Un sourire flotta sur les traits de l'enfant qui rêvait. L'ermite marmonna :

— Ainsi, son cœur est content...

Il se détourna et se glissa sans bruit dans différents coins de la pièce. Il cherchait quelque chose. Par moments il s'arrêtait pour écouter, par moments il hochait la tête et jetait de rapides coups d'œil vers le lit tout en continuant à marmonner sans arrêt pour lui-même. Finalement il trouva ce dont il semblait avoir besoin : un vieux couteau de boucher rouillé, et une pierre à aiguiser. Il rampa vers sa place au coin du feu, s'assit, et se mit à aiguiser doucement le couteau sur la pierre, en marmottant et poussant des exclamations. Les vents soupiraient dans les alentours déserts, les mystérieuses voix de la nuit flottaient de tous côtés, venant de loin. Les yeux brillants de rats et de souris aventureux épiaient le vieil homme depuis leurs trous ou à travers des fentes, mais il poursuivait sa tâche, dans une transe, absorbé, ne remarquant rien de tout cela.

À de longs intervalles il passait son pouce sur le tranchant de la lame, et hochait la tête avec satisfaction.

— Il coupe de mieux en mieux, dit-il, oui, de mieux en mieux.

Il ne prit pas garde que le temps passait, mais poursuivit tranquillement sa tâche, se plaisant à bercer ses pensées, que révélaient à l'occasion quelques paroles articulées :

— Son père nous a fait du mal, il nous a détruits – et il s'est maintenant abîmé dans les feux éternels! Oui, au fin fond des feux éternels! Il nous a échappé – mais telle fut la volonté de Dieu, oui, et nous ne devons pas nous en plaindre. Mais aux feux il n'a pas échappé, ces feux dévorants, inexorables, sans remords – et *ceux-là* brûlent éternellement!

Et ainsi il travaillait et travaillait encore. Il ricanait par moments d'une voix basse et rauque ou exprimait par des mots sa pensée :

— Tout cela fut la faute de son père. Je ne suis qu'un archange – mais sans lui, je serais pape!

Le roi bougea. L'ermite bondit sans bruit vers le lit, et avança à genoux, se penchant au-dessus de la silhouette endormie et brandissant le couteau. L'enfant bougea encore, ses yeux s'ouvrirent un instant, mais ils ne perçurent rien. Tout de suite sa respiration tranquille montra qu'il dormait profondément à nouveau.

L'ermite le contempla et l'écouta quelque temps, toujours dans la même position, respirant à peine. Puis, lentement, il abaissa son bras, et finit par s'éloigner en rampant.

— Minuit est largement passé. Ce n'est pas le meilleur moment pour qu'il crie, alors que par malchance quelqu'un peut passer à ce moment-là.

Il se glissa dans son galetas, ramassa quelques chiffons et une lanière de cuir. Il revint alors avec précaution et fit en sorte de ligoter ensemble les chevilles du roi sans le réveiller. Puis il tenta de lier les poignets. Il s'y reprit à plusieurs fois mais l'enfant retirait toujours l'une ou l'autre de ses mains juste au moment où la corde allait y être appliquée. À la fin, alors que l'archange était sur le point de désespérer, l'enfant de lui-même croisa ses mains et en une minute elles furent ligotées. Après quoi une bande de tissu fut passée sous le menton du dormeur, ramenée au-dessus de sa tête, et nouée étroitement – si doucement, si graduellement, si adroitement furent ces nœuds rapprochés les uns des autres et serrés que l'enfant dormit paisiblement d'un bout à l'autre de l'opération et ne bougea pas du tout.

Puis il marcha à reculons, couvant l'enfant du regard, comme le tigre qui savoure son triomphe avant de s'élancer sur sa proie.

CHAPITRE XXI

Le vieil homme s'éloigna sans bruit, se courbant furtivement comme un chat, et rapporta le petit banc. Il s'y
assit, laissant la moitié de son corps dans la faible et vacillante lumière et l'autre moitié dans l'ombre. Ainsi penché,
les yeux brûlants, au dessus de l'enfant endormi, il
poursuivit sa veille avec patience, sans prêter attention au
temps qui passait. Il avait repris son couteau et l'aiguisait
avec plus de calme encore qu'auparavant. Il avait de petits
rires étouffés, paraissait marmotter une prière. À voir son
attitude et son aspect, on aurait dit une monstrueuse
araignée, épiant et dévorant du regard le pauvre et
innocent insecte sans défense qui a eu le malheur de se
prendre dans sa toile.

Après un long moment, le vieil homme, qui continuait
à regarder – quoique sans voir, l'esprit absorbé dans
quelque rêve abstrait – remarqua tout à coup que les yeux
de l'enfant étaient ouverts. L'enfant s'était en effet éveillé
et, les paupières démesurément ouvertes, fixait avec
horreur le couteau. Un sourire diabolique et satisfait se
dessina sur le visage du vieil homme et il dit, sans modifier
son attitude ni ce qu'il était en train de faire :

— Fils de Henri VIII, as-tu fait tes prières ?

L'enfant se débattit vainement dans ses liens. Ses nerfs se tendirent pour tenter de rompre ses sangles, en vain. Un son étouffé s'échappa alors entre ses mâchoires serrées. L'ermite choisit d'interpréter ce son comme une réponse affirmative à la question qu'il avait posée.

— Eh bien, prie encore. Dis la prière des agonisants!

Un frisson secoua le corps de l'enfant, sa face blêmit. Il s'efforça à nouveau de se dégager – se tournant et se tortillant d'un côté et de l'autre, luttant frénétiquement, férocement, désespérément pour rompre ses chaînes. Le vieil homme le regardait en souriant, hochait la tête, continuait tranquillement à affûter son couteau, et marmonnait de temps en temps:

— Le temps est précieux, il ne t'en reste pas beaucoup. Dis la prière des agonisants!

L'enfant émit un gémissement désespéré, et cessa de se débattre, haletant. Puis des larmes perlèrent, l'une après l'autre, le long de ses joues, mais ce pitoyable spectacle n'opéra aucun effet adoucissant sur le sauvage vieil homme.

L'aube maintenant se levait. L'ermite s'en aperçut et parla brutalement, avec une pointe d'appréhension et d'énervement dans la voix:

— Je ne puis m'abandonner à cette extase plus longtemps! Déjà la nuit a pris fin. Graine de pécheur, ferme tes yeux périssables, si tu crains de regarder...

La suite fut perdue en balbutiements inaudibles. Le vieil homme tomba à genoux, brandissant son couteau, et se courba au-dessus de l'enfant qui geignit:

— Attendez!

On entendait des voix près de la cabane. Le couteau tomba de la main de l'ermite, qui jeta une peau de mouton sur l'enfant et se redressa, tout tremblant. Le bruit augmentait, les voix se firent rudes et coléreuses. Des vociférations fusèrent et des bruits de pas rapides qui s'enfuyaient parvinrent à leurs oreilles. S'ensuivit immédiatement une série de coups tonitruants frappés à la porte, à quoi succéda un:

— Hé, là-bas! Ouvrez! Dépêchez-vous, au nom de tous les diables!

Oh, voilà qui était le son le plus divin de toutes les musiques jamais parvenues aux oreilles du roi. En effet, c'était la voix de Miles Hendon!

L'ermite, grinçant des dents avec rage, sortit vite de la chambre, refermant la porte derrière lui. Sur quoi le roi entendit la conversation suivante, provenant de la chapelle:

— Salut, brave et saint homme! Où est l'enfant, *mon* enfant?

— Quel enfant, ami?

— Quel enfant! Seigneur, ne jouez pas au plus fin avec moi! Je ne suis pas d'humeur à cela. Tout près d'ici, j'ai surpris les scélérats qui me l'avaient enlevé et je les ai forcés à avouer. Ils ont dit qu'il s'était sauvé à nouveau, qu'ils avaient suivi ses traces jusqu'à votre porte. Ils m'ont montré l'empreinte même de ses pas. Voyons, que veut dire cette hésitation? Où est l'enfant? Prenez garde, si vous ne me le rendez pas…

— Ah, mon bon seigneur, vous voulez parler peut-être de ce vagabond déguenillé qui a passé la nuit ici? Si c'est à un tel personnage que vous vous intéressez, sachez donc que je l'ai envoyé faire une course. Il ne va pas tarder à rentrer.

— Quand cela? Quand cela? Répondez au plus vite, ne me faites pas perdre de temps. Ne puis-je le rattraper? Quand rentrera-t-il?

— Votre seigneurie a tort de s'alarmer, il sera bientôt de retour.

— Eh bien, soit. Je vais essayer d'attendre. Mais halte-là! *Vous* l'avez envoyé faire une course? Vous! En vérité, c'est un mensonge, il n'accepterait pas d'y aller. Il vous tirerait cette vieille barbe, si vous aviez osé lui adresser pareil affront. Vous avez menti, voilà qui est certain! Il n'y a pas un homme au monde qui puisse lui commander.

— De quelque *homme* que ce soit, cela se peut. Mais je ne suis pas un homme.

— Quoi! Bonté divine, et en ce cas, qu'est-ce que vous êtes?

— C'est un secret – prenez bien note qu'il ne doit pas être révélé: je suis un archange!

Une exclamation des plus vives – et certes pas des plus correctes – échappa à Miles Hendon:

— Morbleu! Voilà qui explique tout à fait pourquoi il vous a obéi! Je savais bien qu'il ne bougerait pas d'un pouce pour le service d'aucun être mortel. Mais, seigneur, même un roi est obligé d'obéir aux ordres d'un archange! Laissez-moi... Chut! Quel était donc ce bruit?

Pendant tout ce temps, le roi, là où il était, avait tour à tour frémi de terreur et tremblé d'espérance. Pendant tout ce temps, il avait aussi de toutes ses forces émis des gémissements pleins d'angoisse, croyant à tout instant atteindre les oreilles de Hendon, mais s'apercevant toujours avec amertume qu'il n'y arrivait pas ou du moins ne produisait aucun effet. Aussi cette dernière observation de son serviteur lui parvint comme un souffle d'air frais qui parviendrait à un mourant. Il venait d'épuiser son énergie, incapable de fournir un ultime effort, juste au moment où l'ermite disait:

— Un bruit? Je n'entends que le vent, tenta le vieil homme.

— Peut-être était-ce le vent. Oui, pas de doute. Je l'entendais faiblement tout le... là, encore ce bruit! Ce n'est pas le vent! Quel son bizarre! Venez, nous allons voir!

Le roi à présent ne pouvait presque plus se tenir de joie. Ses poumons épuisés donnèrent leur maximum – et avec l'espoir de réussir qui plus est – mais ses mâchoires serrées, la peau de mouton qui l'étouffait, malheureusement ruinèrent ses efforts. Et le cœur manqua au pauvre garçon lorsqu'il entendit l'ermite qui disait:

— Ah, cela provient du dehors – je crois que ça vient du bois là-bas. Venez, je vous conduis.

Le roi les entendit passer en causant tous les deux. Il entendit leurs pas s'éloigner rapidement et il resta seul avec un silence menaçant, chargé, terrible.

Un siècle parut s'écouler avant qu'il entendît à nouveau bruit de pas et bruit de voix se rapprocher. Cette fois, il perçut autre chose en plus : le claquement des sabots d'un cheval, semblait-il. Puis il entendit Hendon qui disait :

— Je n'attendrai pas davantage. Je ne *peux pas* attendre davantage. Il se sera égaré dans l'épaisseur du bois. Dans quelle direction est-il parti ? Vite, venez avec moi et montrez-moi où.

— Bon d'accord, exprima l'ermite à regret. Je vous accompagne.

— Très bien, très bien. En vérité, vous valez mieux que vous paraissez. Parbleu, je ne crois pas qu'il existe en vérité un autre archange qui ait un meilleur cœur que le vôtre. Voulez-vous monter en selle ? Voulez-vous l'ânon que je destine à mon garçon, ou enfourcherez-vous de vos respectables jambes cette misérable mule que j'avais prévue pour moi-même ?

— Non, prenez votre mule et conduisez votre âne. J'aurais peur d'être jeté à terre. Je me sens plus ferme sur mes propres jambes, j'irai à pied.

— Alors, si vous le voulez bien, tenez la bride de l'âne pendant que je me mettrai en selle sur la mule.

Suivirent alors des coups de pieds confus mêlés de tapes, de plongeons en avant, de rebondissements, accompagnés d'un tonitruant chapelet de jurons, et finalement d'une apostrophe amère adressée à la mule, qui sans doute en vint à bout car les hostilités parurent avoir cessé à partir de ce moment.

Avec un chagrin inexprimable, le petit roi bâillonné entendit les pas et les voix s'éloigner et disparaître. Toute espérance l'abandonnait à présent et un morne désespoir envahissait son cœur. «Il s'est débarrassé par ruse du seul ami que j'avais, se dit-il, l'ermite va revenir et...» Il s'arrêta, haletant. Il lutta cette fois-ci avec une telle frénésie pour se dégager de ses liens qu'il fit tomber la peau de mouton qui l'étouffait.

Il entendit la porte s'ouvrir! Le son l'en glaça jusqu'à la moelle des os. Il lui semblait sentir déjà la lame du couteau sur sa gorge. Son horreur fut si forte qu'il ferma les yeux. Son horreur fut si forte qu'il les rouvrit: devant lui se tenaient Hobbs et Hugo!

Il aurait crié un: «Dieu soit loué!» si ses mâchoires avaient été libres.

Deux minutes plus tard, ses membres étaient libérés, et ses ravisseurs, le tenant chacun par un bras, lui faisaient traverser la forêt à toute vitesse.

CHAPITRE XXII

Une fois de plus «Dingue 1er» battait la campagne avec les vagabonds et les hors-la-loi, en butte à leurs plaisanteries grossières, leurs railleries peu spirituelles, et parfois victime de méchantes petites malices de la part de Hobbs et d'Hugo, quand l'Ébouriffeur avait le dos tourné. Personne, Hobbs et Hugo exceptés, n'éprouvait véritablement d'antipathie à son encontre. Quelques-uns des autres l'aimaient bien, et tous admiraient sa résolution et son courage. Deux ou trois jours durant, Hugo, à la garde de qui il était confié, fit ce qu'il put pour le tourmenter en cachette. Le soir, au cours des orgies rituelles, il faisait rire la galerie en déclenchant de menues catastrophes le concernant – apparemment toujours accidentelles. Par deux fois il lui marcha sur les pieds – sans y prendre garde – et le roi, comme il convenait à son rang, ne parut pas s'en apercevoir et y resta semblait-il indifférent. Mais la troisième fois qu'Hugo se livra à ce jeu, le roi le jeta par terre d'un coup de bâton, ce qui réjouit merveilleusement l'assistance. Hugo, brûlant de colère et de honte, bondit, s'empara d'un autre bâton et, pris de fureur, se jeta sur son petit adversaire. Un cercle se forma aussitôt autour des combattants, des paris s'engagèrent, des acclamations furent poussées.

Mais le malheureux Hugo n'avait pas la moindre chance de s'en tirer. En réalité, Hugo ne se doutait point de l'issue de cette lutte puisqu'il ignorait à qui il avait véritablement affaire. Ses frénétiques et rudimentaires passes d'arme de novice se heurtèrent à un bras qui avait été formé par les meilleurs maîtres d'Europe à toutes les subtilités et à tous les secrets de l'escrime. Édouard pouvait tout aussi bien manier un bâton qu'une épée. Le jeune roi se tenait bien droit, alerte et gracieux, et détournait la grêle des coups qui pleuvaient sur lui avec une aisance et une précision qui forcèrent l'admiration des spectateurs. À chaque occasion où son œil exercé saisissait une ouverture, et où rapide comme l'éclair le coup qui en résultait frappait Hugo sur la tête, la tempête d'acclamations et de rires qui balayaient la place était fabuleuse à entendre. Au bout d'un quart d'heure, Hugo, tout meurtri, tout bosselé, et cible bombardée de railleries impitoyables, s'esquiva du champ de bataille. Le roi n'avait pas été touché une seule fois. L'héroïque et indemne vainqueur fut soulevé et porté en triomphe, sur les épaules de la populace hilare, jusqu'à la place d'honneur près de l'Ébouriffeur, où en grande cérémonie il fut couronné roi des Coqs de combat. Le titre minable de Dingue 1er fut solennellement, par la même occasion, aboli et annulé – quiconque le prononcerait dorénavant serait expulsé du groupe.

Toutes les tentatives pour rendre le roi utilisable au profit de la bande avaient échoué. Il refusait obstinément de participer – bien plus, il n'arrêtait pas d'essayer de s'enfuir. On l'avait poussé, le premier jour de son retour, dans une cuisine non gardée. Non seulement il en était ressorti les mains vides, mais il avait tenté d'alerter les habitants. On le donna ensuite comme aide à un ferblantier. Le roi se révolta quand son prétendu maître lui commanda de chercher de l'ouvrage, et il alla jusqu'à arracher au ferblantier son fer à souder, avec lequel il menaça de lui fracasser le crâne.

Hugo et le ferblantier eurent toutes les misères du monde à l'empêcher de s'échapper. Il tonnait de toute sa majesté contre ceux qui se permettaient d'entraver sa liberté ou de tenter de le forcer à leur être utile. On l'envoya mendier, sous la supervision d'Hugo, en compagnie d'une souillon et d'un bébé malade. Le résultat n'en fut pas satisfaisant, car il refusa de se soumettre et signifia à ceux qui parlaient de lui imposer leur volonté qu'il les ferait pendre.

Plusieurs journées s'écoulèrent de la sorte et les misères de cette vie errante, le dégoût que lui inspiraient sa bassesse, sa mesquinerie, sa vulgarité, en vinrent peu à peu à faire souffrir à tel point le captif qu'il finit par trouver qu'avoir échappé au couteau de l'ermite ne lui avait apporté qu'un bref répit, et peut-être même pas, avant de mourir.

La nuit, dans ses rêves, il oubliait pourtant tout cela. Il était sur son trône et à nouveau le maître absolu du royaume. Bien sûr, au réveil, cela ne faisait qu'accroître ses souffrances – et au matin de chaque journée, son amertume augmentait sans cesse, le mortifiant toujours davantage, et il lui était de plus en plus difficile de la supporter.

Le matin qui suivit la bataille, Hugo se leva, le cœur empli de ressentiment à l'égard du roi et de plans de vengeance contre lui. Le premier plan consistait à humilier l'enfant d'une façon particulière qui briserait son orgueil, son imaginaire royauté. S'il n'y réussissait pas, son second plan consistait à imputer au roi quelque crime, et à le dénoncer pour le jeter dans les impitoyables griffes de la loi.

Pour réaliser le premier projet, il se proposait de poser une plaie artificielle sur la jambe du roi, jugeant avec raison qu'il en serait humilié au plus haut point. Il avait l'intention, dès que la fausse plaie serait posée, de se faire soutenir par Hobbs pour *forcer* le roi à exposer sa jambe sur la grand-route et à demander l'aumône. Pour produire cette plaie – un ulcère en l'occurence –, on confectionnait une pommade à base de citron pur, de savon et de rouille, qu'on étalait sur un morceau de cuir qu'on attachait ensuite à la jambe en serrant fort. Cela faisait peler la peau et faisait apparaître la chair à vif tout en lui conférant un vilain aspect. On y frottait ensuite du sang qu'on laissait sécher et qui virait à des teintes foncées repoussantes. On posait là-dessus un bandage de vieux chiffons avec une maladresse voulue destinée à laisser voir le hideux ulcère et à éveiller la compassion des passants.

Hugo se fit aider par le ferblantier que le roi avait terrorisé avec le fer à souder. Ils emmenèrent l'enfant en expédition pour chercher des métaux. Dès qu'on ne put plus les voir depuis le camp, ils le jetèrent à terre et le ferblantier le tint solidement tandis qu'Hugo posait le cataplasme et le liait serré autour de sa jambe.

Le roi enragea, tempêta, jura qu'il les pendrait dès qu'il aurait recouvré son sceptre, mais ils le tenaient, jouissaient de ses vains efforts pour se libérer et ricanaient de ses menaces. Cela se poursuivit jusqu'au moment où le cataplasme commença à le brûler. Ils auraient réussi entièrement leur machination s'ils n'avaient pas été interrompus. Mais à peu près à ce moment-là, l'«esclave» qui avait tenu des discours pour dénoncer les lois anglaises fit son apparition au sein de cette scène, mit fin à ces agissements, arrachant cataplasme et bandage.

Le roi voulait emprunter le gourdin de son libérateur et montrer tout de suite de quel bois il se chauffait à ces deux canailles ; mais l'autre refusa, voyant des ennuis en perspective… Ce dernier préférait qu'il attende au moins le soir avant de régler ses comptes. La tribu serait alors rassemblée, et le monde extérieur se garderait de s'en mêler ou d'interrompre quoi que ce soit. Il les ramena tous trois au camp, fit son rapport à l'Ébouriffeur, qui l'écouta, réfléchit, et décida que le roi ne devait plus se voir assigné à la mendicité puisqu'il était clair que ses capacités étaient plus hautes… et donc, sur-le-champ, il le promut, de mendiant qu'il avait été, au rang de cambrioleur !

Hugo en débordait de joie. Il avait déjà essayé d'amener le roi à cambrioler, sans succès. Mais il n'y aurait plus de résistance maintenant car bien évidemment l'idée de désobéir aux ordres du chef n'effleurerait pas le roi. Il prépara donc un cambriolage pour l'après-midi même, et prévit un piège pour faire du même coup tomber le roi dans les griffes de la loi, piège qui devait être tendu avec tant d'ingéniosité qu'il paraîtrait fortuit et non intentionnel. Puisque le roi des Coqs de combat était à présent populaire, la bande pouvait traiter sans douceur un individu qui commettrait une trahison aussi noire que de le livrer à leur commun ennemi, la loi.

Très bien. Savourant déjà sa revanche, Hugo flâna dans un village voisin avec sa proie. Tous deux déambulèrent lentement d'une rue à l'autre, l'un guettant alertement l'occasion de réaliser son odieux dessein et l'autre attendant avidement la première occasion de filer et d'échapper définitivement à son infamante captivité.

Tous deux laissèrent passer quelques occasions relativement acceptables. Chacun de son côté était fermement décidé à réussir cette fois-ci dans son entreprise et aucun des deux ne voulait s'exposer à une déception.

Ce fut d'abord à Hugo que la chance sourit. En effet, une femme approchait portant un paquet de grande dimension dans un panier. Les yeux d'Hugo pétillèrent d'une joie coupable tandis qu'il se disait: «Que je meure si je ne peux pas lui mettre *cela* sur le dos, c'est de la bonne marchandise. Que Dieu te protège, roi des Coqs de combat!» Il attendit, guettant – avec une patience apparente quoique bouillant intérieurement d'excitation – jusqu'à ce que le femme passe puis il murmura à voix basse: «Reste ici jusqu'à mon retour», et fonça sans bruit à la poursuite de sa proie.

Le cœur du roi brûla de joie – voici qu'il allait pouvoir s'enfuir, si seulement Hugo était entraîné suffisamment loin.

Mais cette chance lui fut refusée. Hugo rampa derrière la femme, arracha le paquet et revint en courant, l'enveloppant dans une vieille couverture qu'il portait sur son bras. L'alerte fut immédiatement donnée par la femme qui sentit ce qu'elle avait perdu aussitôt par l'allègement de son fardeau, bien qu'elle n'avait pas vu le vol. Hugo lança le ballot dans les bras du roi sans s'arrêter, en disant:

— Maintenant cours derrière moi avec les autres en criant: «Au voleur!», mais arrange-toi pour les emmener dans la mauvaise direction!

Sur quoi Hugo tourna à un coin de rue et se perdit dans une allée tortueuse, puis réapparut l'instant d'après, l'air indifférent et innocent, et se posta derrière un réverbère pour observer ce qui allait en résulter.

Le roi, outragé, jeta le ballot à terre. La couverture tomba et s'ouvrit au moment précis où la femme arrivait, suivie d'une foule qui ne cessait d'augmenter. Elle saisit le roi par le poignet d'une main, rattrapa le ballot de l'autre, et déversa un torrent d'injures sur l'enfant tandis qu'il se débattait vainement pour se dégager de son étreinte.

Hugo en avait assez vu – son ennemi était pris, il tomberait à présent sous le coup de la loi –, si bien qu'il se retira sans bruit. Il jubilait, il ricanait, et il repartit vers le camp en élaborant une version présentable de l'affaire à l'intention de l'Ébouriffeur et sa troupe, tandis qu'il marchait à grandes enjambées.

Le roi continuait cependant à se débattre pour se libérer de la femme. Il s'écriait d'un ton outré :

— Lâchez-moi, stupide créature. Je ne suis pas l'auteur du vol de votre misérable paquet.

La foule se refermait autour d'eux, menaçant le roi et l'injuriant. Un forgeron des plus musclés, en tablier de cuir et les manches relevées jusqu'aux coudes, tendit le bras vers lui, disant qu'il allait lui offrir une raclée dont il se souviendrait, mais juste à ce moment une longue rapière fendit l'air et s'abattit avec une force suffisamment convaincante sur son bras, du plat de la lame, tandis que l'extraordinaire propriétaire de cette arme faisait observer, sur un ton plaisant :

— Ne bougez pas, bonnes gens, que l'on procède en douceur et dans l'ordre, non dans l'échauffement et les mauvaises paroles. Ceci regarde la loi, et pas la justice privée. Relâchez votre emprise sur ce garçon, ma bonne dame.

Le forgeron toisa l'impressionnant soldat d'un coup d'œil et battit en retraite, marmonnant et se frottant le bras. La femme, à regret, lâcha le bras de l'enfant. La foule regarda l'étranger avec aversion mais prudemment s'abstint de tout commentaire. Le roi d'un bond se plaça auprès de son libérateur, rougissant, les yeux étincelants, et s'exclama :

— Vous vous êtes bien fait attendre, mais vous arrivez maintenant au bon moment, sire Miles. Taillez-moi en pièces cette canaille !

CHAPITRE XXIII

Hendon se força à sourire, se pencha et murmura à l'oreille du roi :

— Doucement, doucement, mon prince, tenez votre langue et soyez prudent. Faites-moi confiance et tout finira bien.

Il ajouta en son for intérieur : « *Sire* Miles ! Morbleu ! j'avais tout à fait oublié que j'étais maintenant chevalier ! »

Il y eut une bousculade dans la foule, qui s'égailla à l'arrivée d'un agent de police. Ce dernier allait poser sa main sur l'épaule du roi, quand Hendon lui dit :

— Tout doux, mon bon ami, retirez votre main. Il va y aller paisiblement, je m'en porte garant. Passez devant, nous vous suivons.

Le représentant de la loi ne répondit point. Il fit signe à la foule de se ranger. L'agent passa en tête, ainsi que la femme et son ballot. Miles et le roi les suivirent, talonnés par la foule. Le roi voulut se rebeller, mais Hendon lui dit à voix basse :

— Réfléchissez, Majesté. Vos lois sont le souffle même de votre empire ; pouvez-vous leur désobéir et exiger ensuite que vos inférieurs les respectent ? Visiblement, une de ces lois a été violée. Lorsque le roi sera à nouveau sur son trône, il n'aura point à rougir d'avoir, un jour où il paraissait être un simple sujet, prouvé à son peuple que la loi doit être souveraine.

— Vous avez raison. N'en dites pas plus. Vous verrez que peu importe les souffrances que le roi d'Angleterre inflige à ses sujets au nom de la loi, il en exige de lui-même tout autant quand il se voit assigner le rang de sujet.

Lorsque la femme fut appelée à déposer devant le juge de paix, elle jura que le jeune prisonnier à la barre était bien la personne qui avait commis le vol. Il n'y avait personne pour prouver le contraire. La culpabilité du roi semblait évidente. N'avait-il pas été pris en flagrant délit? Ainsi, le roi fut condamné. Alors, on examina de plus près les pièces de conviction. On déroula l'enveloppe du paquet, et lorsqu'on découvrit que le contenu était un joli petit cochon de lait, le juge parut troublé tandis qu'Hendon pâlissait, son corps subissant le choc quasi électrique d'un frisson d'appréhension. Le roi, lui, resta calme, protégé par l'ignorance où il était. Le juge réfléchit un moment, dans une pause lourde de menaces, puis il se tourna vers la femme et lui demanda:

— À combien évalues-tu ton bien?

La femme fit la révérence et répondit:

— Trois shillings et huit sous, votre honneur. C'est une estimation honnête, je ne peux en rabattre même un sou.

Le juge jeta un coup d'œil gêné vers la foule, puis fit un signe à l'agent et lui dit:

— Faites sortir la foule et fermez la porte.

Cela fut fait. Il ne resta que les deux personnages officiels, l'accusé, l'accusatrice, et Miles Hendon. Ce dernier se raidissait, tout pâle, et sur son front des gouttes de sueur glacée se formaient, se divisaient, se reformaient à nouveau et dégoulinaient le long de son visage. Le juge se tourna encore une fois vers la femme et lui dit, d'une voix empreinte de compassion :

— C'est un pauvre enfant ignorant, qui peut-être fut conduit durement par la faim car les temps sont durs pour les malheureux. Je vous ferai remarquer que son visage n'est pas méchant, mais quand la faim vous mène... Ma bonne dame, savez-vous que celui qui vole une chose qui vaut plus d'un shilling doit selon la loi être *pendu* pour cela ?

Le jeune roi sursauta, ses yeux consternés s'écarquillèrent, mais il se maîtrisa et se tint tranquille. Ce ne fut pas le cas de la femme. Elle bondit, toute frémissante d'effroi et s'écria :

— Oh, bonté divine, qu'ai-je fait ! Dieu nous prenne en pitié, je ne voudrais faire pendre ce pauvre petit pour rien au monde ! Ah, épargnez-moi cela, votre honneur... Il m'a volé, c'est vrai, mais j'ai récupéré mon bien. Ah ! ce n'est pas possible ! Votre honneur, je vous en supplie, que puis-je faire ? Comment empêcher ce malheur ?

Le juge conserva son maintien officiel et se borna à dire :

— Sans aucun doute vous avez encore le droit de réévaluer l'objet, puisqu'il n'y a pas eu d'enregistrement écrit de sa valeur au procès verbal.

— Alors, au nom de Dieu, comptez le cochon pour huit sous et que le ciel bénisse le jour qui a délivré ma conscience d'une pareille horreur!

Miles Hendon fut si ravi qu'il en oublia tout décorum. Il se jeta au cou de la brave femme et l'embrassa sur les deux joues, puis il souleva le roi et le serra très fort contre son cœur. La femme fit ses adieux en remerciant encore et repartit avec son cochon. Après lui avoir ouvert la porte, l'agent de police la suivit dans l'étroit vestibule. Le juge continuait à remplir son registre. Hendon, toujours méfiant, trouvait bizarre le fait que l'agent ait suivi la femme. Il se glissa donc sans bruit dans l'ombre du vestibule et écouta. Il entendit la conversation suivante:

— C'est une belle bête, qui promet d'être succulente. Je vais vous l'acheter. Voici les huit sous.

— Huit sous, vraiment! Vous n'allez pas faire une chose pareille. Il m'est revenu à trois shillings et huit sous, en bonne et franche monnaie du feu roi, ce bon vieux roi Henri qui vient de mourir. Vous pouvez toujours courir! Huit sous!

— Ah? c'est ainsi que vous l'entendez? Vous venez de faire une déclaration sous serment. Vous avez donc fait un faux témoignage en affirmant qu'elle valait huit sous? Retournons droit devant Sa Seigneurie, répondez de ce crime! …et alors l'enfant sera pendu.

La femme poussa un cri d'effroi.

— Là, là, s'écria-t-elle éperdument, c'est assez pour moi. Donnez-moi les huit sous, et ne revenez pas sur cette affaire. Surtout ne parlez pas au magistrat!

La femme s'éloigna en pleurant. Hendon rentra discrètement dans la salle d'audience, et de même fit l'agent après avoir dissimulé son butin dans quelque recoin approprié. Le juge écrivit encore un peu, puis lut au roi un texte modéré et bienveillant. Il le condamnait à une courte peine d'emprisonnement dans la prison commune, peine qui devait être suivie d'une flagellation publique. Le roi, abasourdi, ouvrit la bouche et allait très probablement donner l'ordre que ce bon juge soit décapité sur-le-champ, mais il vit à temps qu'Hendon lui faisait un signe d'avertissement, et réussit à refermer la bouche avant d'avoir échappé un seul mot. Hendon le prit par la main, salua profondément le juge, et tous deux se dirigèrent, sous la garde de l'agent de police, vers la prison. Dès qu'ils eurent atteint la rue, le monarque fou de rage s'arrêta et arracha sa main en s'exclamant:

— Me laisser mener en prison? Jamais! Plutôt mourir!

Hendon se pencha vers lui et dit assez rudement:

— Vous déciderez-vous enfin à avoir confiance en moi? Paix! Prenez garde à ne pas ruiner nos chances par vos paroles imprudentes. Ce que Dieu veut, aura lieu. Vous ne pouvez ni le hâter ni le modifier, donc, attendez, soyez patient. Il sera bien temps de se lamenter ou de se réjouir quand ce qui doit par nécessité se produire se sera produit.

CHAPITRE XXIV

Le jour était à son déclin. Les rues étaient désertes, à l'exception de quelques passants attardés, et ceux-ci se hâtaient et semblaient tout entiers tendus vers l'objectif de finir leurs emplettes aussi vite que possible et regagner leurs confortables abris loin du vent qui se levait et du crépuscule qui se formait. Ils ne regardaient ni à droite ni à gauche. Ils ne firent pas attention à nos héros, ils ne semblèrent pas même les voir. Édouard se demandait si le spectacle d'un roi conduit en prison avait jamais rencontré auparavant une si fabuleuse indifférence. Finalement, l'agent de police déboucha sur une place de marché déserte et se mit en devoir de la traverser. Quand il fut au milieu de la place, Hendon posa sa main sur son bras et lui dit à voix basse :

— Attendez un moment, mon bon monsieur, personne ne peut nous entendre, et j'ai quelque chose à vous dire.

— messire, cela m'est interdit. Je vous en prie, ne me retardez pas, la nuit s'en vient.

— Arrêtez-vous néanmoins, car l'affaire vous concerne de très près et il y va de votre intérêt. Tournez le dos un moment et faites semblant de ne rien voir... puis laissez ce pauvre enfant s'échapper.

— Me dire cela à moi! De par la loi, je vous…

— Non, ne soyez pas si prompt. Prenez bien garde à ce que vous faites. Vous pourriez vous repentir de ne pas avoir suivi mon avis.

Ici, il baissa la voix jusqu'au chuchotement et lui parla à l'oreille :

— Le cochon de lait que vous avez acheté pour huit sous peut vous valoir la pendaison, cher ami !

Le pauvre agent, pris par surprise, en perdit d'abord la parole, puis il retrouva sa langue et se répandit en invectives et en menaces. Hendon resta calme et attendit patiemment jusqu'à ce que l'homme eût épuisé son souffle. Il ajouta alors :

— Vous m'êtes sympathique, ami, je ne voudrais pas vous causer volontairement des ennuis. Remarquez cependant que j'ai tout entendu – tout. Je vais vous le prouver. Et il répéta la conversation que le policier et la femme avaient eue dans le hall, sans en changer un mot, puis il dit pour finir :

— Là, est-ce que j'ai oublié quelque chose? Est-ce que je pourrais tout redire comme il faut devant le juge, si les circonstances l'exigeaient, vous croyez?

L'homme resta muet de terreur et de détresse pendant un certain temps. Puis il se ressaisit et dit, affectant de badiner :

— Vous donnez beaucoup d'importance, vraiment, à une plaisanterie. J'ai taquiné cette femme pour me distraire.

— Et c'est pour vous distraire que vous avez gardé son cochon de lait?

L'homme rétorqua vivement:

— Oui, pour rien d'autre, mon bon monsieur. Je vous assure que ce n'était qu'une plaisanterie.

— Je commence à vraiment vous croire, dit Hendon, d'un ton mi-moqueur, mi-convaincu assez énigmatique. Mais attendez-moi ici une minute tandis que je cours demander au magistrat – qui sans aucun doute s'y connaît en lois, en plaisanteries, en…

Il commençait à s'éloigner, tandis qu'il parlait encore. L'agent hésita, s'agita, éructa un ou deux jurons et puis s'écria:

— Arrêtez, arrêtez, je vous en prie, attendez un petit peu! Le juge! Mais voyons, mon cher, il n'a pas plus de compréhension d'un badinage que n'en aurait un cadavre! Attendez, on va en reparler. Sapristi! Il semble que je suis mal en point dans cette affaire – et tout cela pour avoir plaisanté étourdiment et sans penser à mal. J'ai une famille à charge: une femme, des petits enfants… Veuillez écouter la voix de la raison, mon bon seigneur. Que voulez-vous de moi?

— Je vous demande uniquement d'être aveugle, muet et paralytique le temps de compter jusqu'à cent mille – en comptant lentement, dit Hendon, de l'air d'un homme qui demanderait une toute petite faveur très raisonnable.

— Vous voulez ma mort! dit l'agent d'un ton désespéré. Ah, soyez raisonnable, mon bon monsieur. Considérez seulement cette affaire, par quelque bout qu'on la prenne, et voyez que ce n'est qu'un petit badinage ! Si simple ! Et même si on admettait que ce n'était pas un petit badinage, c'est une peccadille si légère que même la plus vilaine punition qu'elle pourrait revaloir serait tout au plus une remontrance, un avertissement, de la bouche du juge.

Hendon répliqua avec une solennité qui parut glacer l'air autour de lui :

— Ce badinage dont vous parlez est un crime, le savez-vous ?

— Je l'ignorais ! Peut-être ai-je été malavisé. Jamais je n'aurais cru… Ainsi la loi a prévu ce cas, ce délit – si délit il y a ?

— Oui, il s'agit bien d'un crime. La loi dit : « *Non compos mentis lex talionis sic transit gloria Mundi.* »

Le roi qui, contrairement à Hendon, s'y connaissait plutôt bien en latin, arqua un sourcil incrédule en entendant ce charabia. Le constable n'y vit quant à lui que du feu, puisqu'il s'étouffa et lâcha un faible :

— Ah, mon Dieu !

— Et il est puni de mort.

— Dieu me pardonne, je ne suis qu'un pauvre pécheur !

— En exploitant la faiblesse d'une personne prise en faute, courant de graves dangers, et qui était à votre merci, vous vous êtes emparé de marchandises qui valaient plus d'un shilling, et que vous avez payées à un prix dérisoire, expliqua Hendon qui, voyant l'effet produit sur l'agent par sa citation latine incongrue, décida d'en rajouter. Quoi de plus, tous ces actes sont, au regard de la loi : « *ad hominem expurgatis in statu quo* ».

— Soutenez-moi, soutenez-moi, mon doux monsieur, mes jambes se dérobent sous moi ! Ayez pitié de moi ! Épargnez-moi cet horrible destin, et je tournerai le dos et je ne verrai rien de ce qui se passera.

— Voilà qui est bien, vous voilà sage et raisonnable. Et vous devrez rendre le cochon de lait.

— Je le rendrai, je le rendrai, sûr et certain. Je ne mangerai plus jamais de cochon de lait ! Allez-y ! Je suis aveugle en ce qui vous concerne, je ne vois rien. Je dirai que vous avez bondi sur moi et m'avez arraché le prisonnier de vive force. Cette porte est une antiquité ridiculement peu solide. Je la démolirai moi-même entre minuit et le lever du jour.

— C'est cela, mon bon, faites-le, il n'en sortira aucun mal. Le juge est charitable, il aime bien ce malheureux enfant, il ne versera pas de larmes. Il ne brisera pas les os du geôlier qui l'aura laissé s'échapper.

CHAPITRE XXV

Hendon et le roi n'eurent pas plus tôt échappé aux regards de l'agent que Sa Majesté fut informée qu'elle devait gagner au plus vite un certain lieu en dehors de la ville et attendre là, tandis qu'Hendon retournerait à l'auberge pour y solder son compte. Une demi-heure plus tard les deux amis fonçaient joyeusement vers l'est, chevauchant les piètres coursiers qu'Hendon avait fournis. Le roi était maintenant vêtu confortablement : il avait jeté ses haillons et avait revêtu le costume précédemment acheté d'occasion par Hendon sur le pont de Londres.

Hendon voulait éviter de fatiguer l'enfant, pensant que les voyages épuisants, les repas irréguliers, le temps de sommeil insuffisant, étaient mauvais pour cet esprit malade. Au contraire, le repos, la régularité, l'exercice modéré allaient, c'était presque sûr, favoriser sa guérison. Il désirait tant voir le garçon recouvrer sa force, voir ces folles rêveries chassées de cette petite tête tourmentée, si bien qu'il décida de faire route par petites étapes vers le domaine paternel d'où il avait été banni si longtemps, et de ne pas céder aux élans d'impatience qui le poussaient à se hâter jour et nuit.

Après que lui et le roi eurent couvert à peu près dix milles, ils atteignirent un gros village et descendirent pour la nuit dans une auberge qui semblait bien tenue. Leurs relations reprirent inchangées: Hendon le servit, l'aida à se déshabiller quand il alla au lit, dormit quant à lui sur le plancher, adossé à la porte, enroulé dans une couverture.

Le jour suivant, et celui d'après, ils poursuivirent leur voyage sans se presser, bavardant sur ce qu'ils avaient vécu depuis leur séparation et prenant grand plaisir chacun à écouter les récits de l'autre. Hendon conta en détail comment il avait battu la campagne en long et en large à la recherche du roi, comment l'archange l'avait entraîné dans une folle équipée et l'avait finalement ramené à sa cabane quand il avait compris qu'il ne se débarrasserait pas de lui. Puis – dit-il – le vieil homme était entré dans la chambre à coucher et en était ressorti titubant et le cœur brisé semblait-il, disant qu'il s'était attendu à trouver l'enfant de retour et couché là pour dormir mais qu'il n'y était pas. Hendon avait attendu dans la cabane toute la journée. L'espérance de voir le roi revenir avait fini par s'éteindre; et il avait repris sa quête.

— Et le vieux était vraiment navré que Votre Altesse ne revienne pas, dit Hendon, je l'ai vu à son visage tout déconfit.

— Sapristi, je le crois bien! dit le roi entre ses dents.

Et il raconta à son tour son histoire, après quoi Hendon regretta vivement de ne pas avoir tordu le cou à l'archange.

Le dernier jour du trajet, Hendon brûlait d'arriver et causa sans arrêt: il évoqua son vieux père, son frère Arthur, contant sur eux beaucoup de traits qui montraient l'élévation et la générosité de leur caractère. Il parla jusqu'à la frénésie de sa bien-aimée Edith, et déborda de joie à tel point que il réussit même à dire quelques mots gentils et fraternels à propos de Hugh. Il s'étendit longuement sur la rencontre imminente qui aurait lieu à Hendon Hall, la surprise qu'elle allait représenter pour chacun et la profusion de réjouissances qui s'y produiraient. Comme on serait ravi de son retour!

C'était une jolie contrée, semée de cottages et de vergers. La route faisait traverser de vastes pâturages dont les élévations et les creux, en pente douce dans les deux sens, évoquaient les gonflements et les ondulations de la mer. Au cours de l'après-midi, l'enfant prodigue revenant au pays s'écarta mille fois de son chemin pour aller voir si en montant sur quelque tertre il ne réussirait pas à percer la distance et apercevoir au moins un peu sa maison natale. Il finit par y arriver et s'écria, tout excité:

— Voici le village, mon prince. Voici le Hall tout à côté! Vous pouvez d'ici en voir les tours; et ce bois… c'est le parc de mon père. Ah, c'est maintenant que vous saurez ce que sont la richesse et la grandeur! Une maison de soixante-dix chambres – imaginez cela! – et vingt-sept domestiques! Une fameuse résidence pour des gens de notre sorte, pas vrai? Venez, dépêchons-nous! Mon impatience ne supportera plus de délai.

Ils se hâtèrent tant qu'ils purent. Il était cependant plus de quinze heures quand ils atteignirent le village. Les voyageurs le traversèrent au galop, Hendon ne cessant de parler.

— Voici l'église, tapissée du même chèvrefeuille. Rien n'a changé. Plus loin c'est l'auberge, ce bon vieux Lion-Rouge, et plus loin encore c'est la place du marché. Voici la mairie, et voici la fontaine. Rien n'a changé, rien sinon les gens, du moins. En dix ans, on change ! Il me semble reconnaître quelques personnes, mais personne ne me reconnaît.

Il continuait à parler et l'extrémité du village fut bientôt atteinte. Ensuite les voyageurs enfilèrent une route étroite et sinueuse, enserrée entre des haies hautes, parcoururent d'un trot nerveux encore un demi mille, puis pénétrèrent dans un vaste jardin fleuri par une haute grille d'entrée dont les énormes piliers de pierre étaient sculptés d'armoiries. Une noble demeure se dressait devant eux.

— Bienvenue à Hendon Hall, mon roi ! s'exclama Miles. Ah, que voilà un grand jour ! Mon père, mon frère, Lady Edith seront fous de joie de me voir, au point qu'ils n'auront d'yeux que pour moi et ne parleront qu'à moi dans les premiers transports. Vous croirez être accueilli un peu froidement, mais n'y faites pas attention. Très vite il en sera tout autrement, car quand je leur aurai dit que vous êtes mon pupille, et combien vaut l'amour que j'ai pour vous, ils vous serreront dans leurs bras pour l'amour de Miles Hendon, et vous ouvriront pour toujours leur maison et leur cœur !

Sur quoi Hendon bondit sur le sol devant la haute porte, aida le roi à descendre de sa monture, le prit par la main et se rua à l'intérieur. Quelques marches le conduisirent à un spacieux appartement. Il entra, fit asseoir le roi avec plus de hâte que de cérémonie, et courut vers un jeune homme assis à un bureau devant un feu aux bûches généreuses.

— Embrasse-moi, Hugh, cria-t-il, et dis que tu es heureux de mon retour ! Et appelle notre père, car mon bonheur ne sera pas complet tant que je n'aurai pas touché sa main, vu son visage, entendu sa voix une fois de plus!

Mais Hugh en réponse ne fit que se reculer, après avoir trahi une surprise momentanée, et dirigea un regard plein de gravité vers l'intrus – un regard qui dénotait tout d'abord une sorte de surprise offensée, puis se modifia, sous l'effet de quelque pensée ou de quelque objectif intérieur, et prit un air de curiosité émerveillée, mêlée d'une compassion vraie ou feinte. Finalement, il dit d'une voix douce:

— Votre esprit semble dérangé, malheureux étranger. Sans aucun doute vous avez dû souffrir bien des privations et bien des rejets dans ce monde. Votre aspect et votre habillement en témoignent. Qui croyez-vous que je sois?

— Qui je crois que tu es? Qui d'autre, je te prie, que ce que tu es vraiment? Tu es Hugh Hendon, dit Miles d'un ton sec.

L'autre continua, toujours avec la même douceur:

— Et qui vous imaginez-vous être vous-même?

— L'imagination n'a rien à voir là-dedans! Prétendras-tu ne pas me reconnaître pour ton frère Miles Hendon?

Une expression de surprise ravie passa sur le visage de Hugh et il s'exclama:

— Quoi! Ce n'est pas une plaisanterie? Les morts peuvent-ils revenir à la vie? Dieu soit loué si tel est le cas! Notre pauvre enfant perdu qui reviendrait dans nos bras après toutes ces cruelles années! Ah, cela paraît trop beau pour être vrai, *c'est* trop beau pour être vrai. Je vous en conjure, pitié, ne vous jouez pas de moi! Vite, venez vers la lumière que je vous examine bien!

Il saisit Miles par le bras, l'entraîna vers la fenêtre, et commença à le dévorer du regard de la tête aux pieds, le tournant de côté et d'autre, marchant autour de lui puis reculant pour l'éprouver de partout. L'enfant prodigue revenu tout rayonnant de joie souriait, éclatait de rire, et continuait à hocher la tête et à dire :

— Vas-y, mon frère, vas-y, n'aie pas peur. Tu ne trouveras en moi aucune partie qui ne puisse soutenir l'assaut. Examine-moi et teste-moi tout ton soûl, mon cher vieux Hugh – je suis vraiment ton vieux Miles, toujours le même vieux Miles, le frère que tu as perdu, non? Ah, quel grand jour que celui-ci – je l'avais *dit* que ce serait un grand jour! Donne-moi ta main, donne-moi ta joue. Seigneur, je crois que j'en mourrai de joie !

Il était sur le point de se jeter au cou de son frère, mais Hugh l'arrêta d'un geste de la main, fit un signe négatif et baissa la tête tristement, en disant d'un ton plein d'émotion :

— Ah, que Dieu dans sa miséricorde me donne la force de supporter cette cruelle déception!

Miles, ébahi, en resta sans voix quelques instants. Puis, retrouvant sa langue, il s'écria :

— *Quelle* déception? Est-ce que je ne suis pas ton frère?

Hugh hocha négativement la tête avec tristesse et dit :

— Je prie le ciel qu'il puisse en être ainsi, et que d'autres yeux que les miens puissent déceler cette ressemblance qui à moi ne m'apparaît pas. Hélas, j'ai bien peur que cette lettre n'ait dit que trop la vérité.

— Quelle lettre?

— Une lettre arrivée d'au-delà des mers il y a six ou sept ans. Elle disait que mon frère était mort à la guerre.

— C'était un mensonge! Appelle notre père, il me reconnaîtra.

— On ne peut pas appeler les morts.

— «Mort»?

La voix de Miles était atterrée et ses lèvres tremblèrent.

— Mon père mort! Oh, voilà une nouvelle bien dure. La moitié de ma joie s'en est fanée. Je t'en prie, que je voie mon frère Arthur. Lui me reconnaîtra et me consolera.

— Lui aussi, il est mort.

— Dieu ait pitié de moi! Disparus! disparus tous les deux! Les meilleurs enlevés et le nul que je suis épargné! Ah! ne me dis pas que Lady Edith…

— Ah? vous connaissez Lady Edith? Non, elle n'est pas morte, elle vit.

— Alors, Dieu soit loué, ma joie est à nouveau pleine et entière! Dépêche-toi, mon frère, amène-la moi! Est-ce qu'elle dira, *elle*, que je ne suis pas moi? Mais non, elle ne dira pas cela. Non, non, elle va, *elle*, me reconnaître, j'ai été fou d'en douter. Fais-la venir! Fais venir les vieux domestiques, eux aussi, ils me reconnaîtront.

— Ils sont tous partis, sauf cinq : Peter, Halsey, David, Bernard et Margaret.

Sur ces mots, Hugh quitta la salle. Miles resta un instant tout pensif, puis se mit à arpenter le plancher, murmurant :

— Ces cinq canailles patentées ont survécu aux vingt-deux qui étaient fidèles et honnêtes. Voilà qui est étrange.

Il continuait à arpenter le sol et à parler tout seul ; il avait complètement oublié le roi. Sa Majesté dit d'un ton grave, empreint d'une authentique sympathie, quoique ses mots mêmes pussent aussi être interprétés en un sens ironique :

— Ne faites pas attention à de tels accidents, mon bon ami. Cette méprise est cruelle, il est vrai, mais il existe d'autres cas dans le monde d'identités non reconnues et de spoliations de droits. Vous n'êtes pas seul. Rassurez-vous, votre roi ne vous abandonnera point.

— Ah, mon roi, s'écria Hendon dont le visage se colora légèrement, ne me condamnez pas. Attendez, et vous verrez. Je ne suis pas un imposteur, vous l'entendrez dire par les lèvres les plus douces de toute l'Angleterre. Moi, un imposteur ? Mais voyons, je connais ce vieux hall, ces portraits de mes ancêtres et tous ces objets qui nous entourent, comme un enfant connaît sa propre mère. C'est ici que je suis né et ai été élevé, monseigneur. Je dis la vérité, ce n'est pas moi qui vous tromperais. Et si personne d'autre ne me croit, je vous supplie, *vous*, de ne pas mettre ma parole en doute. Je ne pourrais pas le supporter.

— Je ne mets pas votre parole en doute, dit le roi, avec une simplicité et une confiance semblables à celles d'un enfant.

— Je vous remercie du fond du cœur! s'écria Hendon, dont la chaleur indiquait qu'il était touché.

Le roi poursuivit, toujours aussi simplement et gentiment:

— Est-ce que vous mettez en doute *la mienne*?

Confusion et culpabilité s'emparèrent de Hendon, et il remercia le ciel que la porte s'ouvrît pour laisser entrer Hugh à ce moment-là, et lui épargnât la nécessité de répondre.

Une dame très belle, richement vêtue, suivait Hugh, et après elle entrèrent plusieurs domestiques en livrée. La dame marchait lentement, la tête baissée, les yeux fixés sur le sol. Son visage était d'une tristesse inexprimable. Miles Hendon bondit vers elle, en s'écriant:

— Oh, mon Edith, ma chérie.

Mais Hugh, avec gravité, lui fit signe de reculer, et il dit à la dame:

— Regardez-le bien. Le connaissez-vous?

Au son de la voix de Miles la femme avait légèrement sursauté, ses joues s'étaient enflammées. Maintenant, elle tremblait. Elle resta immobile et marqua une pause qui dura plusieurs minutes, puis elle releva lentement la tête et regarda Hendon dans les yeux. Son regard était de pierre et rempli d'épouvante. Le sang quitta son visage, goutte à goutte, jusqu'à la laisser d'une pâleur grise semblable à celle de la mort. Puis elle dit, d'une voix aussi morte que son visage:

— Je ne le connais pas!, fit demi-tour avec un gémissement et un sanglot réprimé, et sortit, chancelante, de la pièce.

Miles Hendon s'effondra dans un fauteuil et enfouit son visage dans ses mains. Après une pause, son frère dit aux domestiques:

— Vous l'avez bien observé. Le connaissez-vous?

Ils secouèrent négativement la tête. Leur maître dit alors:

— Les domestiques ne vous connaissent pas, seigneur. Je crains qu'il n'y ait quelque confusion. Vous avez vu que mon épouse ne vous connaissait pas.

— Ton *épouse*!

En un instant Hugh fut cloué au mur, une poigne de fer lui serrant la gorge.

— Oh! traître! scélérat! Je comprends tout! Tu as toi-même écrit cette lettre mensongère, le vol de ma fiancée et de mes biens en est le fruit. Tu mens comme tu as menti jadis, lorsque tu as réussi à me faire chasser de la maison. Là, maintenant disparais, pour que je ne salisse pas mon honneur de soldat par le massacre d'un homme aussi pitoyable!

Hugh, le visage écarlate et quasi étouffé, recula jusqu'au siège le plus proche et donna l'ordre aux domestiques de saisir et ligoter le sanguinaire étranger. Ils hésitèrent. L'un d'entre eux dit:

— Il est armé, monseigneur Hugh, et nous sommes sans armes.

— Armé? Qu'importe? Vous êtes six contre un! Ruez-vous sur lui, vous dis-je!

Mais Miles avait déjà dégainé son arme et leur indiquait de prendre garde à ce qu'ils feraient, ajoutant:

— Ah! vous ne m'avez point reconnu, hein? Voyons voir si vous vous souviendrez de mes coups, alors... Approchez, si le cœur vous en dit.

Ce rappel ne stimula pas beaucoup leur courage. Ils continuaient à reculer.

— Alors disparaissez, pâles couards, armez-vous et allez garder les portes, pendant que j'enverrai un messager chercher le guet, vociféra Hugh.

Il se retourna, depuis le seuil, pour dire à Miles:

— Vous aurez avantage à ne pas aggraver votre cas par de vaines tentatives d'évasion.

— M'évader? Tu peux t'épargner un tel tracas si c'est là le sujet qui te trouble: car Miles Hendon est le maître d'Hendon Hall et de toutes ses dépendances. Je compte bien y rester, n'en doute pas.

CHAPITRE XXVI

Le roi resta assis, pensif. Quand Hugh eut quitté, il releva la tête et dit:

— C'est étrange, tout à fait étrange. Je ne peux me l'expliquer.

— Mais non, mon suzerain, ce n'est pas étrange. Je le connais, sa conduite est des plus naturelles. Un gredin, c'est ce qu'il est depuis la naissance.

— Oh, sire Miles, ce n'est pas de *lui* que je parlais.

— Pas de lui? De quoi alors? Qu'est-ce qui est étrange?

— Que l'absence du roi ne se fasse pas sentir.

— Comment cela? L'absence de qui? J'ai bien peur de ne pas comprendre.

— Vraiment! Cela ne vous paraît pas étrange que le terrain ne soit pas sillonné de courriers et de proclamations décrivant ma personne et me cherchant? N'y a-t-il pas matière à choc et détresse lorsque la tête de l'État n'est plus là? N'est-il pas extraordinaire que je sois perdu?

— Tout à fait vrai, mon roi, je l'oubliais.

Et Hendon soupira et murmura à part soi: «Pauvre esprit ravagé – toujours hanté par la même folie.»

— Mais j'ai un plan qui nous sauvera tous les deux. Je vais écrire quelques mots en trois langues – en latin, en grec et en anglais – et vous irez au plus vite porter cela à Londres demain matin. Ne donnez cela à personne sinon à Lord Hertford. Quand il l'aura vu, il me reconnaîtra et le dira publiquement. Après quoi il enverra quelqu'un me chercher.

— Ne vaudrait-il pas mieux, mon prince, que nous attendions ici jusqu'à ce que j'aie régularisé ma situation et rétabli mes droits sur mes domaines? Je serais alors beaucoup plus en état de…

Le prince l'interrompit d'un ton impérieux:

— Taisez-vous! Que sont vos pâles domaines, vos intérêts vulgaires, en regard d'affaires qui concernent la prospérité d'une nation et l'intégrité d'un trône!

Puis il ajouta avec gentillesse, comme s'il regrettait d'avoir parlé d'un ton trop sévère:

— Obéissez et n'ayez pas peur. Je vous rétablirai, vous retrouverez tout – et même davantage encore. Je me souviendrai de vos services et ils auront leur récompense.

En disant ces mots, il prit la plume et se mit en devoir d'écrire. Hendon le regarda quelques minutes avec tendresse, puis se dit à part lui:

— Si je n'étais sûr de l'endroit où je l'ai trouvé, je jurerais sur le salut de mon âme que c'est le roi lui-même qui vient de me parler. On ne peut pas dire le contraire, quand l'humeur lui en prend, il tonne comme le roi en personne. Où a-t-il appris à faire cela? Voyez-le griffonner et gratter ses gribouillis dénués de sens, s'imaginant écrire du latin et du grec. Si je n'invente pas quelque distraction pour l'en détourner, je me verrai obligé de me plier à sa nouvelle lubie et devrai faire semblant de porter demain ce message qu'il me confie.

Sur ce, les pensées de Miles revinrent au précédent épisode. Elles l'absorbèrent à tel point que, lorsque finalement le roi lui tendit le mot qu'il avait écrit, il le prit et le fourra dans sa poche sans y penser. «Elle a agi d'une manière extraordinairement étrange», pensait-il. «Elle a tressailli comme si elle me reconnaissait, mais elle paraissait avoir perdu le souvenir de mes traits. Ce sont là deux choses contradictoires et inconciliables, mais elles sont néanmoins incontestables. L'affaire est simple : elle ne *peut pas* ne pas avoir reconnu mon visage, ma silhouette, ma voix, car vraiment, comment serait-ce possible? Et cependant, elle *dit* ne pas me connaître, et c'est là une preuve irréfutable : elle ne ment jamais. Mais halte-là – je crois que je commence à comprendre. Il se pourrait qu'il l'ait influencée, qu'il lui ait donné des ordres, qu'il l'ait contrainte à mentir. Voilà la clé du mystère! L'énigme est résolue. Elle semblait mourir de peur… Oui, elle était en son pouvoir. Je vais la chercher, je vais la trouver. Lui parti, elle dira la vérité. Elle se souviendra du temps jadis, quand nous étions enfants et jouions ensemble. Cela adoucira son cœur. Elle ne me trahira plus, au contraire, elle me dira tout. Il n'y a pas une once de traîtrise en elle. Non, elle a toujours été honnête et franche. Elle m'aimait alors… Quand on a aimé quelqu'un, on ne peut pas le trahir.»

Il se dirigea impatiemment vers la porte. Au même moment, celle-ci s'ouvrit et Lady Edith entra. Elle était très pâle, mais son pas était ferme, et son port plein de grâce, de douceur et de dignité. Son visage était toujours aussi triste.

Miles se précipita, heureux et confiant, à sa rencontre, mais elle l'arrêta d'un geste à peine perceptible et il s'arrêta net. Elle s'assit et l'invita à en faire autant. C'est ainsi que tout simplement elle le dépouilla de leur ancienne camaraderie et fit de lui un étranger et un invité. La surprise qu'il en éprouva, la déroutante étrangeté de cette conduite inattendue, firent qu'il commença à se demander s'il était bien, après tout, celui qu'il prétendait être. Lady Edith dit :

— Messire, je suis venue vous avertir. Ceux qui ont perdu l'esprit ne peuvent être convaincus de renoncer à leurs illusions, mais on peut les prévenir tout de même des dangers qu'ils courent. J'ai pitié de vous et je désire vous sauver pendant qu'il en est encore temps. Ne restez pas ici… fuyez ! Votre vie est en danger. Je pense que le rêve que vous faites se présente à vous sous la figure d'une honnête vérité, et donc, n'est pas criminel, mais il est dangereux.

Elle regarda fermement Miles dans les yeux quelques instants puis ajouta avec force :

— Cela est d'autant plus dangereux que vous ressemblez effectivement à ce que notre cher Miles serait devenu s'il avait survécu.

— Le Ciel nous bénisse, madame, je suis vraiment lui !

— Je vois assurément que vous le croyez, messire. Je ne mets pas en question votre honnêteté à ce sujet, mais je vous avertis, voilà tout. Mon époux est le maître de cette contrée. Son pouvoir n'a quasiment aucune limite. Les gens prospèrent ou meurent de faim à sa guise. Si vous ne présentiez pas de ressemblance avec l'homme que vous prétendez être, mon époux vous laisserait bercer vos illusions en paix. Mais croyez-moi, je le connais bien et je sais ce qu'il fera : il dira à tous que vous êtes un fou et un imposteur, et immédiatement tous lui feront écho.

Elle regarda encore fixement Miles et ajouta :

— Si vous étiez *vraiment* Miles Hendon, s'il le savait, si toute la contrée le savait – considérez bien ce que je vous dis –, le péril pour vous serait égal, votre châtiment n'en serait pas moins certain. Il vous renierait, il vous dénoncerait, nul ne serait assez hardi pour vous offrir son appui.

— Je le crois tout à fait, dit Miles, avec amertume. Quand on a assez de pouvoir pour commander à une âme noble et vertueuse de renier, de répudier un ami loyal qui donnerait sa vie pour ne point affliger cette belle âme généreuse, quand on est sûr que ce commandement sera obéi, on ne craint pas faire exécuter ses volontés par des gens sans foi ni loi qui font fi de l'honneur et de la justice.

Une faible rougeur colora un instant les joues de la dame, et elle baissa les yeux vers le sol. Mais sa voix ne trahissait aucune émotion lorsqu'elle poursuivit :

— Je vous ai averti, et je dois vous avertir encore, qu'il faut que vous partiez d'ici. Sinon cet homme vous démolira. C'est un tyran qui ne connaît aucune pitié. Moi qui suis son esclave, à lui enchaînée, je sais cela. Ce pauvre Miles, comme Arthur et son père, sont maintenant à l'abri de ses entreprises. Il vaudrait mieux pour vous être avec eux plutôt que de rester ici et tomber dans les griffes de ce mécréant. Vos prétentions sont une menace pour son titre et pour ses biens. Vous l'avez assailli dans sa propre maison – vous êtes perdu si vous y restez. Partez, n'hésitez pas. Si l'argent vous manque, prenez cette bourse, je vous en supplie, soudoyez les domestiques pour qu'ils vous laissent passer. Oh, malheureux, recevez cet avertissement, sauvez-vous pendant que c'est encore possible.

Miles refusa la bourse d'un geste, se leva, et resta debout devant elle.

— Accordez-moi une faveur, une seule, dit-il. Regardez-moi en face, que je puisse voir si vous soutenez mon regard. Voilà – et maintenant répondez-moi. Suis-je Miles Hendon?

— Non. Je ne vous connais pas.

— Jurez-le!

La réponse fut proférée d'une voix basse, mais distincte :

— Je le jure.

— Oh, impossible de croire cela!

— Fuyez! Pourquoi perdre un temps précieux? Fuyez, sauvez-vous donc.

À ce moment, les officiers firent irruption dans la pièce, et une violente bagarre éclata. Hendon fut bientôt maîtrisé et traîné dehors. Le roi fut pris aussi : tous deux furent enchaînés et conduits en prison.

CHAPITRE XXVII

Les cellules étaient toutes pleines, si bien que les deux amis furent mis dans une vaste salle où les gens coupables de fautes légères étaient couramment enfermés. Ils ne manquaient pas de compagnons car il y avait là une vingtaine de détenus menottés ou enchaînés, des deux sexes et d'âges variés. Le roi rumina amèrement l'extraordinaire indignité infligée à sa royauté, et Hendon resta sombre et taciturne. Il avait perdu tous ses repères. Alors qu'il était revenu chez lui en jubilant, s'attendant à trouver tout le monde fou de joie de son retour, il avait eu droit à un accueil glacé et une prison. L'attente et la réalité différaient à tel point qu'il en était abasourdi ; il n'arrivait pas à décider s'il fallait qualifier cette situation de tragique ou de grotesque. Ce qu'il éprouvait était comparable à ce qu'aurait éprouvé un homme sorti de chez lui en dansant pour admirer un arc-en-ciel, et qui aurait été frappé par la foudre.

Mais peu à peu ses pensées confuses et torturantes trouvèrent une sorte d'accommodement, et son esprit se recentra sur Edith. Il retourna sa conduite dans tous les sens et l'examina sous tous les jours possibles, mais ne put rien en tirer de satisfaisant. L'avait-elle reconnu ou ne l'avait-elle pas reconnu ? C'était une énigme bien déroutante, qui l'occupa pendant un long laps de temps. Il en retira pour finir la conviction qu'elle l'avait assurément reconnu et l'avait renié pour des motifs intéressés. Il voulait maudire son nom dorénavant, mais ce nom avait été sacré pour lui si longtemps qu'il ne put résoudre sa bouche à le profaner.

Enroulés dans les couvertures fournies par la prison et qui étaient dans un état effrangé et malpropre, Hendon et le roi passèrent une nuit peu sereine. Soudoyé, le geôlier avait procuré de l'alcool à certains prisonniers; des chansons paillardes, des rixes, des cris, des beuglements, en étaient la naturelle conséquence. Pour finir, un peu après minuit, un homme attaqua une femme et la tua presque, la frappant sur la tête avec ses menottes avant que le geôlier puisse venir à son secours. Le geôlier rétablit la paix et donna à l'homme une saine correction à coups de bâton sur la tête et les épaules – sur quoi la fête s'arrêta – et après purent dormir tous ceux qui ne se laissèrent pas troubler par les gémissements et les plaintes des deux individus qui avaient été blessés.

Durant la semaine qui suivit, jours et nuits se succédèrent avec une monotone répétition des mêmes événements. Des hommes dont Hendon se rappelait plus ou moins le visage venaient, le jour, examiner l'«imposteur», le rejeter et l'injurier. La nuit, le cirque et les bagarres revenaient avec une régularité toute symétrique. Cependant, un incident différent eut lieu pour finir. Le geôlier fit entrer un vieil homme en lui disant:

— Le scélérat en question est dans cette salle, regarde-le et vois si tu peux dire qui il est.

Hendon leva les yeux et ressentit quelque chose d'agréable pour la première fois depuis son arrivée dans la prison.

Il se dit : « C'est Blake Andrews, un domestique qui a servi toute sa vie dans notre famille – une âme droite, brave et dont la poitrine renferme un honnête cœur. Du moins c'est ce qu'il était. Mais aucun d'eux n'est véridique maintenant, tous mentent. Cet homme me reconnaîtra – et dira le contraire, lui aussi, comme tous les autres. »

Le vieil homme fit du regard le tour de la salle, jeta un coup d'œil sur un visage après l'autre. Il sondait en quelque sorte leurs traits, et après chacune de ses enquêtes, il demeurait pensif. À la fin, il dit :

— Tu m'as fait perdre mon temps. Je ne vois rien ici que des vauriens et des traîne-potence que tu ferais mieux de pendre haut et court au plus vite. Lequel est-ce ?

Le geôlier éclata de rire.

— Ici, dit-il, examine cette grosse bête et donne-moi ton avis.

Le vieil homme se rapprocha, regarda bien Hendon, longuement, sérieusement, puis secoua la tête en disant :

— Diantre, cet homme n'est pas Hendon et ne l'a jamais été !

— Exact. Tes vieux yeux sont encore sains. Et si j'étais messire Hugh, je prendrais ce misérable chien et…

Le geôlier termina sa phrase en se haussant sur la pointe des pieds, brandissant une corde imaginaire et produisant en même temps un gargouillis du fond de la gorge suggérant une suffocation. Le vieil homme dit d'un ton vengeur :

— Qu'il bénisse le ciel de ne pas rencontrer pire destin. Si c'était *moi* qui devais m'occuper de cette crapule, il serait à rôtir tout vif, ou alors je ne suis plus un homme!

Le geôlier éclata d'un charmant rire d'hyène, et dit:

— Montre-lui de quel bois tu te chauffes, vieil homme – c'est ce qu'ils font tous. Tu vas bien t'amuser.

Il s'éloigna paresseusement en direction de son antichambre et disparut. Le vieil homme fléchit le genou et chuchota:

— Dieu soit loué, vous voilà revenu, mon maître! Je vous ai cru mort ces sept dernières années, et voyez, vous êtes vivant! Je vous ai reconnu dès que je suis entré. Cela fut bien dur de garder un air impassible et de paraître ne voir personne ici que des crapules à deux sous et autres déchets des rues. Je suis vieux et je suis pauvre, mais dites seulement un mot et j'irai proclamer la vérité, dussé-je être étranglé pour cela.

— Non, dit Hendon, tu ne feras pas cela. Ce serait ta perte et ne ferait pas avancer ma cause. Mais je te remercie; car tu m'as redonné quelque peu de la confiance que j'avais perdue en ma propre espèce.

Le vieux domestique se montra fort utile pour Hendon et le roi. Il revint plusieurs fois par jour pour invectiver le premier, et s'arrangea à chaque fois pour glisser quelques friandises – cuisse de poulet ou tranche de porc – afin d'améliorer l'ordinaire de la prison. Il les tenait aussi au courant des nouvelles. Hendon réservait les friandises pour le roi. Sans elles, Sa Majesté n'aurait peut-être pas survécu car elle ne réussissait pas à avaler la nourriture grossière et sordide apportée par le geôlier. Andrews fut obligé de se borner à de brèves visites, afin de ne pas éveiller les soupçons, mais il fit en sorte de communiquer suffisamment d'informations à chaque fois. Il s'adressait à voix basse pour le bénéfice d'Hendon, et entrelardait les informations vitales d'épithètes insultantes clamées à haute voix, à destination des autres auditeurs.

C'est ainsi que, peu à peu, l'histoire de la famille parvint au jour. Arthur était mort depuis cinq ans. Cette perte, et le fait de rester sans nouvelles de Miles, avaient altéré la santé du père. Il pensait qu'il allait mourir et désirait voir Hugh et Edith établis avant son trépas. Mais Edith supplia qu'on attendît, espérant que Miles reviendrait. Alors arriva la lettre qui apportait la nouvelle que Miles était mort. Ce choc abattit Messire Richard, il crut sa fin très proche. Lui et Hugh insistèrent pour que le mariage soit conclu. Edith demanda et obtint un nouveau mois de délai; puis un deuxième, et enfin un troisième. Le mariage eut alors lieu, devant le lit de mort de messire Richard, et se révéla peu heureux. On chuchotait dans le pays que peu de temps après les noces la jeune femme avait trouvé parmi les papiers de son époux plusieurs ébauches de la fatale lettre, et l'accusait d'avoir précipité le mariage – et le décès de son père également – par cette hideuse tromperie. Des racontars coururent alors de tous côtés sur le traitement cruel que subissaient Lady Edith et les domestiques. Depuis la disparition de son père, Hugh avait rejeté toutes ses apparences de douceur et était devenu un maître impitoyable à l'égard de tous ceux qui dépendaient pour leur pain de lui et de ses domaines.

Il y eut une partie des commérages rapportés par Andrews que le roi se mit à écouter avec un vif intérêt:

— Une rumeur circule selon laquelle le roi serait fou. Mais je vous supplie de ne pas répéter que je l'ai mentionné, car quiconque en parle est passible de la peine de mort.

Sa Majesté foudroya du regard le vieil homme et dit :

— Le roi *n'est pas* fou, mon brave homme – et vous seriez bien inspiré de vous occuper d'affaires qui vous concernent plutôt que de vous livrer à des propos insensés qui pourraient vous coûter cher.

— Que veut dire cet enfant ? demanda Andrews, surpris de cette brusque sortie d'origine si inattendue.

Hendon lui fit un signe et il ne posa pas plus de questions mais poursuivit sur sa lancée :

— Le feu roi doit être enterré à Windsor dans un jour ou deux – le 16 de ce mois – et le couronnement du nouveau roi aura lieu le 20.

— À mon avis, ils devraient commencer par le trouver, marmonna Sa Majesté.

Le vieil homme en revint au fil des nouvelles.

— Messire Hugh ira au couronnement – et avec des espoirs qu'il nourrit secrètement d'être nommé pair quand il reviendra, étant très en faveur auprès du Lord Protecteur.

— Quel Lord Protecteur ? demanda Sa Majesté.

— Sa Seigneurie le duc de Somerset.

— Quel duc de Somerset ?

— Diantre, il n'y en a qu'un – Seymour, le comte d'Hertford.

Le roi eut un geste d'étonnement et de colère.

— Et depuis quand est-il duc et Lord Protecteur?

— Depuis le dernier jour de janvier.

— Ayez la bonté de me dire qui lui a donné ce titre?

— Le Grand Conseil – avec l'appui du roi.

Sa Majesté sursauta violemment.

— Le *roi*! s'écria-t-il, l'air interdit. *Quel* roi, mon bon monsieur?

— Quel roi, vraiment! Puisque nous n'en avons qu'un, il n'est pas difficile de répondre – Sa Très Sainte Majesté le roi Édouard VI – que Dieu préserve! Mais oui, et un charmant garçon plein de qualités, à ce qu'on dit. Qu'il soit fou ou pas fou – on dit qu'il s'améliore de jour en jour – ses louanges courent sur toutes les lèvres. Tout le monde le bénit de même, et prie pour qu'il soit épargné et règne longtemps sur l'Angleterre, car il s'est montré humain dès le commencement en sauvant la vie du vieux duc de Norfolk et maintenant il est occupé à abolir des lois cruelles qui tourmentent et oppriment le peuple et ne songe qu'à introduire partout de grandes réformes.

Ces nouvelles frappèrent le roi d'un étonnement qui le rendit muet, et le plongèrent dans une rêverie si profonde et si morne qu'il n'entendit plus rien des commérages du vieil homme. Il se demandait comment le «charmant garçon» – en vérité ce petit mendiant qu'il avait laissé habillé de ses propres vêtements dans le palais – était arrivé à se faire passer pour lui sans s'être trahi au premier mot. Le fait de réfléchir ne rapporta rien à l'enfant: plus il s'efforçait de démêler l'énigme, plus sa perplexité augmentait, plus sa tête lui faisait mal, plus il perdait le sommeil. Son impatience de rejoindre Londres s'accrut d'heure en heure, et son emprisonnement devint presque impossible à supporter.

Toutes les machineries d'Hendon échouèrent devant le roi – il restait inconsolable. Deux femmes qui se trouvaient enchaînées près de lui eurent plus de succès. Grâce à leurs gentilles remontrances, il se rasséréna et fit l'apprentissage de la patience. Il en fut très reconnaissant, en arriva à les aimer beaucoup et à profiter avec délices de la douce influence apaisante de leur présence. Il s'enquit du motif de leur incarcération, et lorsqu'elles dirent qu'elles étaient baptistes, il sourit et demanda:

— Est-ce un tel crime qu'il mérite d'être puni de prison? Maintenant, je suis malheureux parce que je vais vous perdre. Ils ne vous garderont pas longtemps pour une telle bagatelle.

Elles ne répondirent pas et quelque chose dans leur expression le mit mal à l'aise. Il dit, ardemment:

— Vous vous taisez... Soyez gentilles à mon égard et dites-moi: vous n'attendez pas un autre châtiment? Je vous en supplie, dites-moi qu'il n'y a rien à craindre de tel.

Elles tentèrent de détourner la conversation, mais il commençait à avoir peur et il poursuivit:

— Vont-ils vous fouetter? Non, non, ils n'auraient pas une telle cruauté. Dites-moi que non. Allez! Ils ne commettront point une telle barbarie, pas vrai?

Les deux femmes laissèrent voir malgré elles leur confusion et leur détresse. Elles auraient souhaité éviter une explication catégorique, mais le roi ne lâchait pas le morceau. L'une d'elle dit, à regret et le visage navré, avec une voix que l'émotion étouffait :

— Oh, tu nous fends le cœur avec ta gentillesse. Dieu nous soutiendra dans notre...

— Arrêtez ! interrompit le roi. Je lis dans vos yeux que votre sort est arrêté et vous paraît inévitable. Mais non, ne pleurez pas, je ne puis le supporter. Gardez courage – je trouverai moyen de vous épargner cette horreur, et vous pouvez y compter !

Quand le roi s'éveilla le lendemain matin, les femmes n'étaient plus là.

— Elles sont sauvées ! dit-il, tout joyeux.

Puis il ajouta avec accablement :

— Elles sont plus heureuses que moi. Qui me consolera, à présent ?

Chacune d'elles avait laissé un bout de ruban épinglé sur ses vêtements en souvenir. Il déclara qu'il conserverait toujours ces objets, et que bientôt il retrouverait ces amies qui lui étaient chères et les prendrait sous sa protection.

À ce moment précis, le geôlier entra, accompagné de sbires, et fit conduire les prisonniers dans la cour. Le roi exulta ; ça serait une vraie bénédiction que de voir le ciel bleu et respirer à nouveau pour une fois un air pur. Il s'énerva et trépigna devant la lenteur des agents, mais son tour arriva enfin. Il fut libéré de ses fers et reçut l'ordre de suivre les autres prisonniers, avec Hendon.

La cour était pavée de cailloux et ouvrait sur le ciel. Les prisonniers y entrèrent, franchissant une massive arche de pierre, et furent placés à la queue leu leu, debout, le dos au mur. Une corde fut tendue devant eux, et ils étaient aussi surveillés par les agents. C'était un matin gris et froid et la neige légère qui était tombée pendant la nuit blanchissait l'esplanade vide et ajoutait à la désolation de l'aspect qu'elle présentait. Un vent hivernal faisait frissonner la place et envoyait la neige valser de tous côtés.

Au milieu de la cour se tenaient deux femmes, enchaînées à des poteaux. Au premier coup d'œil le roi vit que c'étaient ses amies. Il frémit et se dit intérieurement, «Hélas, elles ne sont pas libres comme je l'avais cru. Penser que des personnes comme elles doivent subir le fouet! Pas dans des pays sauvages, mais dans la chrétienne Angleterre! Oui, voilà la honte! Elles seront fouettées, et moi, qu'elles ont consolé et traité avec douceur, je dois regarder et voir ce grand forfait se commettre. C'est extraordinaire, si extraordinaire! Moi, le plus haut pouvoir de ce large royaume, je suis impuissant à les protéger. Mais que ces mécréants prennent garde à eux, car un jour viendra où je leur demanderai de rendre lourdement compte de leurs actions. Pour chaque coup qu'ils donnent aujourd'hui, ils en recevront cent en retour.»

Une large grille s'ouvrit violemment et des citoyens se ruèrent en foule à l'intérieur. Ils s'attroupèrent autour des deux femmes et les dissimulèrent aux yeux du roi. Un homme d'église entra, traversa la foule et y disparut à son tour. Le roi entendait à présent qu'on parlait, de côté et d'autre, comme s'il y avait des questions et des réponses, mais il ne put distinguer ce qui se disait. Puis il y eut un bourdonnement d'activité, de préparatifs, d'allées et venues de personnages officiels dans la partie de la foule la plus éloignée des deux femmes. Tandis que tout cela se déroulait, on entendit des «chut!» et un grand silence se fit peu à peu parmi le peuple.

Un ordre fut donné et la foule s'écarta et se regroupa de côté, et le roi vit un spectacle qui lui glaça la moelle des os. Des fagots avaient été empilés autour des deux femmes, et un homme agenouillé était en train d'y mettre le feu!

Les femmes baissèrent la tête, couvrirent leur visage de leurs mains. Des flammes jaunes commencèrent à s'élever parmi les fagots qui craquaient et des volutes de fumée bleue se faisaient emporter par le vent. L'homme d'église leva les mains et entama une prière – juste à ce moment-là deux fillettes franchirent précipitamment la grille en poussant des cris assourdissants et se jetèrent sur les femmes au bûcher. Aussitôt les agents les arrachèrent de là, et l'une d'elles fut solidement maintenue mais l'autre se libéra, disant qu'elle voulait mourir avec sa mère. Avant qu'on eût pu l'arrêter elle s'était à nouveau suspendue au cou de celle-ci. On l'arracha de là à nouveau, avec sa robe qui avait pris feu. Deux ou trois hommes la retinrent, et la partie de sa robe qui brûlait fut arrachée et jetée au loin toute flambante, tandis qu'elle ne cessait de se débattre pour se libérer, et de dire qu'elle allait se trouver seule au monde désormais. Elle supplia qu'on l'autorisât à mourir avec sa mère. Les deux petites filles n'arrêtaient pas de crier et de se débattre pour se libérer. Tout à coup, ce tumulte fut recouvert par une giclée de cris d'agonie à percer le cœur. Le roi regarda les hystériques fillettes, puis le bûcher, puis il se détourna, appuya contre le mur son visage devenu d'une pâleur de cendre, et ne regarda plus rien. Il dit :

— Non, ce spectacle ne sortira jamais de ma mémoire mais y résidera pour toujours. Je le reverrai tout au long de mes journées et en rêverai tout au long de mes nuits, jusqu'à ce que je meure. J'aurais préféré naître aveugle !

Hendon ne quittait pas le roi du regard. Il se dit avec satisfaction : «Il va mieux, il a changé, il s'est adouci. S'il avait suivi sa pente, il aurait tonné contre ces sbires, et dit qu'il était le roi, et donné l'ordre que ces femmes soient détachées indemnes. Bientôt son délire disparaîtra, sera oublié, et son pauvre cerveau sera libéré de sa folie.»

Le même jour, plusieurs autres prisonniers furent amenés pour passer la nuit avant d'être redirigés, sous bonne garde, vers différents endroits du royaume afin d'y subir le châtiment de leurs crimes. Le roi parla avec ces hommes – il avait pris la résolution depuis le début de s'instruire sur son métier de roi en posant des questions aux prisonniers chaque fois que l'occasion s'en présenterait – et le récit de leurs malheurs lui tordit le cœur. Parmi eux se trouvait une pauvre femme un peu faible d'esprit qui avait volé à un tisserand quelques mètres d'étoffe – elle devait être pendue pour cela. Un autre était un homme qui avait été accusé de voler un cheval. Le fait n'avait pas été prouvé. Il se croyait sauvé du gibet, mais à peine venait-il d'être relâché qu'on l'avait de nouveau ressaisi pour avoir tué un daim dans le parc royal. Cette fois-ci, il y avait eu des preuves contre lui et maintenant il était en route pour les galères. Il y avait un apprenti dont le cas rendit le roi particulièrement malheureux. Ce jeune garçon raconta qu'il avait trouvé un faucon qui avait échappé à son propriétaire, et qu'il l'avait ramené chez lui, croyant en avoir le droit, mais le tribunal l'avait convaincu de vol et condamné à mort.

Rendu furieux par ces traitements inhumains, le roi ordonna à Miles de forcer la porte de la prison et de fuir avec lui jusqu'à Westminster. Il voulait remonter sur son trône et étendre son sceptre sur ces infortunés afin de les amnistier et sauver leurs vies. «Pauvre enfant», soupira intérieurement Hendon, «ces tristes récits ont fait repartir sa maladie. Hélas, mis à part ce malheureux incident, il était en voie de guérison.»

Parmi ces prisonniers, il y avait un vieil homme de loi, un homme au visage vigoureux et à la mine intrépide. Deux ans auparavant, il avait écrit un pamphlet contre le Lord Chancelier, l'accusant d'injustice, et en avait retiré pour châtiment la perte de ses deux oreilles sur un pilori, sa radiation du barreau, avec en plus une amende de 3 000 livres sterling. Récemment il avait récidivé, en conséquence de quoi il était maintenant condamné à perdre *ce qui restait de ses oreilles*, à payer une amende de 5 000 livres sterling, à être marqué au fer rouge sur les deux joues, et à rester en prison sa vie durant.

— Ce sont des cicatrices honorables, dit-il et il retroussa ses cheveux gris pour montrer les moignons mutilés de ce qui avait un jour été ses oreilles.

Le regard du roi brûla de colère. Il dit:

— Nul ne me croit sur parole, vous ne me croirez pas non plus. Mais peu importe, avant la fin de ce mois vous serez libre. Plus que cela, les lois qui vous ont flétri et qui ont déshonoré l'Angleterre seront chassées à coup de balai des livres où elles figurent. Le monde est mal fait, les rois devraient se mettre de temps en temps à l'école de leurs propres lois et apprendre ainsi la pitié.

CHAPITRE XXVIII

Pendant tout ce temps, le confinement et l'inaction épuisaient Miles de plus en plus. Il ne put réprimer un mouvement de joie lorsqu'on vint lui annoncer qu'il allait être conduit devant le juge. Il pensait pouvoir accueillir de bon cœur toute espèce de sentence pourvu qu'elle ne comportât pas d'emprisonnement. Mais sur ce point il faisait erreur. Il entra dans une belle colère quand il s'entendit décrire comme un «vagabond endurci» et condamner à deux heures de pilori, pour avoir outragé par voies de fait le maître légitime de Hendon Hall. Le fait qu'il prétendait être le frère du plaignant et le véritable héritier des titres et des domaines des Hendon ne fut pas relevé mais fut considéré avec dédain comme ne valant pas la peine d'être examiné.

Il enragea et menaça tout le long du chemin qui devait le conduire à son châtiment, mais cela ne servit à rien. Vainement il plaida que ce prétendu maître légitime était un usurpateur. Il fut empoigné et traîné brutalement par les agents et eut droit à quelques taloches occasionnellement en raison de sa conduite impolie.

Le roi ne put se frayer un chemin à travers la racaille qui suivait, si bien qu'il fut obligé de suivre à l'arrière, séparé de son fidèle ami et serviteur. Le roi avait failli être condamné au pilori lui-même pour avoir fréquenté si mauvaise compagnie, mais il s'en était tiré avec seulement un sermon et un avertissement, en considération de son jeune âge. Lorsque la foule stoppa enfin, il voleta fiévreusement d'un point à l'autre du bord extérieur, à la recherche d'un endroit par où il pourrait se glisser à l'intérieur. Finalement, non sans difficultés ni délais, il y réussit. Hendon était assis sur le tabouret d'infamie, cible et souffre-douleur de la racaille malpropre – lui, le garde du corps du roi d'Angleterre! Édouard avait entendu prononcer la sentence, mais il ne s'était qu'à demi rendu compte de ce qu'elle signifiait. La colère commença à monter en lui lorsque le sentiment de ce nouvel affront qu'on lui faisait l'atteignit. Cette colère prit la température d'une canicule d'été la minute d'après, quand il vit un œuf traverser l'air et s'écraser sur la joue d'Hendon, quand il entendit la foule hurler de rire devant ce spectacle. Il traversa d'un bond le cercle ouvert et apostropha l'officier de garde, s'écriant:

— Quelle honte! Cet homme est mon serviteur. Libérez-le! Je suis le…

— Oh, du calme! s'exclama Hendon, pris de panique. Taisez-vous, vous allez vous perdre. Monsieur l'officier, ne faites pas attention à ce qu'il dit, il est fou.

— Ne te tracasse pas de ce à quoi je devrais faire attention ou non, mon brave homme, j'en ai vu bien d'autres. Par contre, pour ce qui est de lui donner une leçon, ce serait bien plus mon idée.

Il se retourna vers un subordonné et dit:

— Donne à ce petit imbécile un avant-goût ou deux de la lanière du fouet, pour corriger ses manières.

— Une demi-douzaine le servirait mieux, suggéra messire Hugh, qui avait surgi à cheval l'instant d'avant pour jeter un coup d'œil au spectacle.

On empoigna le roi. Il ne résista même pas, tant il était paralysé par la seule pensée du monstrueux outrage qu'on se proposait d'infliger à sa personne sacrée. L'Histoire avait déjà été illustrée par le récit d'une correction administrée à un roi d'Angleterre par le truchement d'un fouet. Il était intolérable de penser qu'il devait fournir une nouvelle version de ce mortifiant épisode. Il était lié au chevalet, rien ne pouvait le tirer de là. Il ne pouvait qu'endurer le châtiment ou supplier qu'il n'eût pas lieu. Choix bien dur à faire; il choisirait d'être flagellé, puisqu'un roi ne peut pas supplier.

Tandis que ces pensées se pressaient dans le cerveau de l'enfant inerte et muet, Miles Hendon avait entre-temps résolu la difficulté.

— Laissez cet enfant, misérables, ne voyez-vous pas combien il est petit et fragile? Laissez-le, vous dis-je. Je prends les coups pour moi.

— Pardi, voilà une bonne idée. Merci, merci, dit messire Hugh, dont le visage s'illumina d'une satisfaction sardonique. Laissez partir ce petit mendiant et donnez à ce type une douzaine de coups en sa place, une honnête douzaine bien appliquée.

Le roi allait se récrier avec indignation, mais messire Hugh le fit taire en ajoutant avec efficacité:

— Mais oui, vas-y, parle à ton aise... seulement note bien que pour chaque mot que tu prononces il aura droit à six coups de plus.

Hendon fut retiré du pilori et on dénuda son dos. Tandis que le fouet s'abattait sur ses épaules, le pauvre petit roi se détourna et laissa des larmes peu royales couler librement le long de ses joues.

— Ah, brave et grand cœur, se disait-il, ton exploit ne sortira jamais de ma mémoire. Le roi d'Angleterre se souviendra de cela et le peuple anglais aussi! ajouta-t-il avec fureur.

Plus il y réfléchissait, plus la magnanimité d'Hendon prenait dans son esprit des proportions gigantesques. Sa reconnaissance royale grandissait dans la même mesure. À la fin, il se dit en lui-même: «Celui qui épargne à son prince des blessures ou une possible mort – et cela, pour moi, il l'a fait – celui-là s'acquitte d'un service bien généreux. Mais c'est bien peu – oh, c'est moins que rien! – en comparaison de l'action de celui qui a épargné à son prince une honte!»

Hendon ne laissa échapper aucun cri sous la flagellation mais supporta avec un courage tout militaire ce fouet lourdement appliqué. Ce qui, joint au fait qu'il avait épargné les coups à l'enfant en les prenant pour soi, lui valut le respect de la misérable et vile populace qui se trouvait assemblée là. Les quolibets et les sifflets s'éteignirent, et on n'entendit plus aucun son sauf celui des coups qui s'abattaient. Le silence qui avait envahi la place quand Hendon se retrouva une fois de plus au pilori contrastait fortement avec les clameurs et les insultes qui avaient prévalu peu de temps auparavant. Le roi s'approcha délicatement d'Hendon et lui chuchota à l'oreille :

— Les rois ne peuvent pas t'anoblir, toi qui as une grande et belle âme, car Quelqu'un qui est plus haut que les rois s'en est chargé en ce qui te concerne. Mais un roi peut confirmer ta noblesse devant les hommes.

Il ramassa le fouet par terre, en effleura les épaules sanglantes d'Hendon et chuchota :

— Édouard d'Angleterre te fait comte !

Hendon fut touché. L'eau lui monta aux yeux. Il oublia soudainement l'affreuse réalité de son sort. Il ne vit plus les officiers de justice, le bourreau, son frère Hugh, la foule. Son visage contracté par la souffrance prit une expression sereine. Un sourire effleura même ses lèvres.

Être là, honni, cloué au pilori, martyrisé, les membres en sang, les pieds liés, et se voir tout à coup, du fond de cet abîme d'infortunes, transporté au plus haut sommet de la gloire ! Entendre un roi qui dit : «Je te fais comte !» et sentir en même temps le bourreau qui vous crache au visage, n'était-ce pas là le comble de l'ironie et du grotesque ?

Il se dit à part lui : «Me voilà brillamment décoré en vérité ! Le chevalier du royaume des Chimères est promu au rang de comte fantôme ! Si cela continue ainsi, j'aurai un éclat inimaginable grâce à tous ces honneurs postiches. Mais ces honneurs auront de la valeur à mes yeux, tout imaginaires qu'ils sont, à cause de l'amour qui me les aura décernés. Mieux valent ces pauvres fausses dignités non sollicitées qui me parviennent venues d'une main propre et d'un esprit droit, que de vraies dignités achetées par la servilité à un pouvoir malhonnête et intéressé. »

Le redouté messire Hugh fit caracoler son cheval çà et là et l'éperonna pour repartir. Le mur vivant des spectateurs s'écarta en silence pour le laisser passer et se reforma toujours dans le même silence. Personne n'alla jusqu'à risquer un mot en faveur du prisonnier ou à sa louange ; mais qu'importait, on ne le maltraitait pas, c'était là un hommage en soi déjà suffisant. Un retardataire qui n'était pas au courant des derniers développements de la situation et qui ricanait au nez de l'imposteur et lui lança un chat mort fut vite abattu d'un coup de poing et jeté dehors d'un coup de pied sans qu'un mot fût prononcé. Sur quoi ,un calme profond régna à nouveau.

CHAPITRE XXIX

Quand le temps d'exposition d'Hendon au pilori fut écoulé, on le relâcha et il reçut l'ordre de quitter la contrée pour ne plus y revenir. On lui rendit son épée, son mulet et son âne. Il enfourcha sa monture et s'en alla, suivi du roi, parmi la foule qui s'écartait doucement et avec respect pour les laisser passer et qui, eux partis, se dispersa.

Hendon fut bientôt absorbé dans ses pensées. Des questions importantes attendaient une réponse. Que devait-il faire? Où devait-il aller? Il lui fallait trouver quelque part un puissant soutien, faute de quoi il devrait abandonner son héritage et rester de plus taxé d'imposture. Où avait-il l'espoir de trouver ce puissant soutien? Où, vraiment! C'était-là une question difficile à résoudre.

Petit à petit, une pensée qui semblait ouvrir des possibilités fit son chemin. Il se dit qu'il y avait encore une chance de salut, une chance bien faible assurément, mais c'était la seule à laquelle il pouvait encore s'accrocher. Il se souvint de ce que le vieil Andrews avait dit de la gentillesse du jeune roi et de la façon généreuse dont il prenait la défense des personnes maltraitées ou infortunées. Pourquoi ne pas aller le voir, obtenir une audience et implorer sa justice? Ah oui, mais était-il possible à quelqu'un de si fabuleusement pauvre d'obtenir l'accès à l'auguste présence d'un monarque? Peu importait. Autant laisser les choses prendre soin d'elles-mêmes, et considérer que ce pont-là ne devrait se traverser qu'une fois parvenus jusqu'à lui. Il avait fait de nombreuses campagnes, était rompu à l'invention d'expédients et de ruses. Il ne doutait pas qu'il trouverait quelque moyen. Oui, il allait faire route vers la capitale. Peut-être qu'un vieil ami de son père, Humphrey Marlow, l'aiderait-il. «Ce bon vieux Humphrey, intendant en chef des cuisines du feu roi, ou des étables, ou quelque chose de ce genre?» Miles n'arrivait pas à se souvenir au juste de quoi il s'agissait au juste. Maintenant qu'il avait un objet sur lequel concentrer son énergie, un but clairement défini à atteindre, le brouillard d'humiliation et de dépression qui avait abattu son moral se leva et se dissipa. Il releva la tête et regarda autour de lui. Il fut surpris de s'apercevoir qu'il était déjà loin et qu'il avait laissé le village derrière lui. Le roi chevauchait à ses côtés, la tête baissée, mais pleine de pensées et de projets. Une triste appréhension obscurcissait la joie toute fraîche d'Hendon: l'enfant accepterait-il de retourner dans une cité où il n'avait connu que maltraitance et dénuement? Il était prêt à renoncer à tous ses plans si l'enfant s'y opposait. Aussi Hendon s'arrêta-t-il pour demander, d'une voix respectueuse:

— J'oubliais de demander où nous allions. Quels sont vos ordres, mon suzerain?

— Droit sur Londres!

Hendon reprit sa route, fort satisfait de la réponse, mais aussi fort étonné de celle-ci.

Le voyage se déroula d'un bout à l'autre sans événement notable. Mais il s'en produisit un à l'arrivée. Vers vingt-deux heures, le 19 février, ils montèrent sur le pont de

Londres, pressés par une cohue hurlante de gens qui se trémoussaient, se poussaient et criaient des hourras. Leurs figures hilares allumées par la bière se découpaient vigoureusement à la lueur des torches qu'ils brandissaient – et à ce moment précis une tête pourrissante qui avait appartenu à un duc ou à quelque autre grand de ce monde tomba à leurs pieds, heurtant le coude d'Hendon, et rebondit au sein du piétinement confus des gens qui se pressaient. Tant sont fugitives et instables les grandeurs de ce monde ! Le feu roi n'était que depuis trois semaines et demie dans sa tombe, et déjà les décorations qu'il avait si soigneusement confisquées aux plus importants de ses sujets pour en orner son noble pont s'abattaient sur le sol. Un citoyen trébucha sur cette tête, ce qui lui fit cogner la sienne contre le dos de quelqu'un devant lui, lequel se retourna et envoya un coup de poing décisif à la première personne qui lui tomba sous la main, et en reçut aussitôt un lui-même de la part de l'ami de ladite personne. Le moment était mûr pour une bonne bagarre, car les festivités prévues pour le lendemain – jour du Couronnement – étaient déjà en train de commencer. Chacun était imbibé de boissons fortes et de patriotisme et en moins de cinq minutes, la rixe avait débordé sur une assez large étendue. Au bout de dix ou douze minutes, elle couvrait plus d'un kilomètre carré et devenait une émeute. À ce moment-là, Hendon et le roi furent séparés l'un de l'autre et se perdirent chacun de leur côté dans ces vagues humaines emplies d'ivrognes.

CHAPITRE XXX

Tandis que le vrai roi errait de par le royaume, mal vêtu, mal nourri, maltraité un jour par les vagabonds, incarcéré en compagnie de voleurs et d'assassins un autre jour, traité d'imbécile et d'imposteur également par les uns et par les autres, le faux roi Tom Canty bénéficiait d'une expérience toute différente.

La royauté commençait tout juste à lui présenter un côté lumineux. L'étoile qui présidait sa destinée prenait de jour en jour un éclat plus splendide. Il n'eut plus peur, ses appréhensions pâlirent et moururent, son embarras disparut et fit place à une allure aisée et pleine de confiance. Il sut exploiter la mine d'or que représentait Humphrey Marlow pour en tirer un profit toujours grandissant.

Il faisait venir Lady Élisabeth et Lady Jane Grey chaque fois qu'il désirait jouer ou causer, les renvoyait quand il était lassé de leur compagnie, avec l'air d'un individu accoutumé à cette façon de se conduire. Le fait que ces personnes considérables lui baisaient la main avant de se retirer ne lui causait plus aucune confusion.

Il avait fini par apprécier la manière solennelle dont on le conduisait vers son lit tous les soirs, et dont on l'habillait en grande cérémonie avec des rites compliqués, tous les matins. Cela fut à la fin un plaisir plein de fierté de s'avancer vers le dîner escorté d'une scintillante procession d'officiers royaux et de gentilshommes de service, à tel point qu'il doubla sa garde de gentilshommes de service. Il aimait entendre le son des clairons dans les corridors et les voix se répercutant au loin :

— Faites place au roi !

Il apprit même à apprécier la joie de siéger sur son trône au milieu de l'ennuyeux conseil. Il aimait accueillir les grands ambassadeurs et leurs splendides escortes, écouter les messages affectueux qu'ils apportaient de la part d'illustres monarques qui l'appelaient «mon frère», lui, Tom Canty, l'enfant d'Offal Court !

Il prenait plaisir à porter de magnifiques vêtements, en commanda davantage. Quatre cents domestiques, ce n'était pas assez pour sa grandeur, alors il en tripla le nombre. L'adulation de courtisans toujours en train de le saluer était devenue une douce musique à ses oreilles. Il restait gentil et amical, était toujours le champion vigoureux et résolu de tous les opprimés, toujours infatigablement en guerre contre les lois injustes. Il pouvait cependant, si on l'offensait, se retourner vers un comte ou même un duc et lui lancer un regard qui le fasse trembler. Un jour que sa royale sœur, l'austère Marie, était en train de le raisonner, critiquant sa manie de pardonner à tant de gens qui devaient normalement être emprisonnés, pendus ou brûlés vifs, et lui rappelant que les prisons de leur auguste père avaient parfois compté jusqu'à soixante mille détenus en même temps, et que pendant son admirable règne il avait envoyé au bourreau et à la mort soixante-douze mille voleurs et cambrioleurs, l'enfant se sentit déborder d'une généreuse indignation et lui commanda de se retirer dans son oratoire et de supplier Dieu de changer la pierre qu'elle avait sous sa poitrine en un cœur humain.

Tom demeurait tout de même parfois troublé par le souvenir du pauvre et honnête petit prince qui l'avait traité avec tant de bonté et s'était précipité dehors avec une si ardente volonté de le venger de l'insolente sentinelle de la grille du palais. Ses premières nuits et ses premiers jours de royauté avaient été semés de pensées et de prières pour le prince perdu, d'un désir sincère de son retour et de son rétablissement dans les droits et la splendeur que lui donnait sa naissance. Qu'était-il arrivé au prince pour que son absence dure aussi longtemps? Édouard avait-il été séduit à un point tel par les récits de Tom au sujet des baignades fabuleuses dans la Tamise et des spectacles de Guignol qu'il avait choisi de troquer sa vie de monarque contre celle d'un simple sujet?

Mais à mesure que le temps s'écoulait, à mesure que l'absence inexpliquée du prince se prolongeait, l'esprit de Tom se laissait envahir de plus en plus par l'idée que son bonheur présent pouvait durer indéfiniment. Peu à peu, l'image du vrai souverain s'effaça de sa pensée, et finalement, il arriva un moment où cette image devint un spectre indésirable que Tom s'empressait de chasser aussitôt, honteux et rougissant de son audace et de son usurpation.

La pauvre mère et les sœurs de Tom parcoururent aussi ce même chemin dans son esprit et en sortirent. Au début il se languissait d'elles, se désolait de leur absence, mourait d'envie de les voir, mais plus tard, l'idée de les voir arriver au palais avec leurs haillons et leur saleté pour le trahir à coup de baisers et l'entraîner loin du vaste lieu où il se trouvait pour le ramener vers la pauvreté, la dégradation et les taudis, cette idée lui donna des frissons. Et enfin elles

269

cessèrent presque complètement d'envahir ses pensées. Il en fut satisfait et presque heureux, car quand leurs tristes visages accusateurs lui apparaissaient à présent, elles faisaient qu'il se sentait plus méprisable qu'un ver de terre rampant dans la boue.

Le 19 février à minuit, Tom Canty était en train de s'enfoncer dans son riche lit au cœur du palais, gardé par ses fidèles vassaux, entouré de toutes les pompes de la royauté. Il était un garçon heureux, car le lendemain devait être le jour solennel de son couronnement comme roi d'Angleterre. Au même instant, Édouard, le véritable roi, affamé, assoiffé, souillé, épuisé par ses pérégrinations, vêtu de haillons tout déchirés, se trouvait coincé au sein d'une foule de gens qui contemplaient avec un vif intérêt des centaines d'ouvriers affairés autour de l'abbaye de Westminster. Aussi actifs que des fourmis, ils achevaient en toute hâte les préparatifs du couronnement royal.

CHAPITRE XXXI

Quand Tom Canty se réveilla le matin suivant, la première chose qu'il entendit fut le bruit du canon, dont les salves répétées produisaient l'effet d'un roulement de tonnerre. Ce fracas, loin de l'épouvanter, lui causa une sensation de joie indéfinissable. Ces coups de canon lui apprenaient, en effet, que toute l'Angleterre était debout pour acclamer ce grand jour.

Finalement, Tom se retrouva une fois encore le personnage principal d'une magnifique parade sur la Tamise. Selon la coutume antique, chaque nouveau roi devait traverser la ville à partir de la tour de Londres. Il ne pouvait rater cette procession inaugurale.

Lorsqu'il y arriva, les pans de cette vénérable forteresse semblèrent tout à coup fendus en mille endroits. De chaque fente jaillit une explosion assourdissante qui recouvrit les clameurs de la multitude et fit trembler le sol. Les jets de flamme, la fumée, les explosions se répétèrent encore et encore avec une célérité merveilleuse, si bien qu'en peu de temps la vieille Tour disparut entièrement dans le large brouillard de sa propre fumée, à l'exception de la haute tour Blanche, laquelle, avec ses bannières, se dressait au-dessus de l'épaisse rive de vapeur comme un pic montagneux qui se projetterait au-dessus d'un banc de nuages.

Tom Canty, magnifiquement habillé, chevauchait un destrier dont le riche harnachement touchait presque à terre. Le Lord Protecteur Somerset, monté de même, prit place à l'arrière. La garde royale se disposa à la file sur les côtés, revêtue d'armures étincelantes. À la suite du Protecteur venait ce qui parut une interminable procession de nobles resplendissants escortés par leurs vassaux. C'était un éblouissement de richesses, de pierreries et d'élégants costumes. C'était un brillant spectacle qui fut salué par des acclamations tout au long du défilé tandis qu'il avançait posément en traversant les multitudes pressées des citoyens. La foule était si compacte que l'on arrivait avec peine à se frayer un passage.

Le roi, quand il entra dans la Cité, fut reçu avec des prières, des cris de bienvenue, des pleurs, des mots tendres, tous des signes qui dénotaient un amour profond des sujets à l'égard de leur souverain. Le roi, qui se tenait bien en vue de tous, adressa quelques mots affectueux à ceux qui étaient proches de sa Grâce, et montra toute sa reconnaissance de recevoir les témoignages de l'estime de son peuple. Il disait merci à tous ceux qui lui adressaient des vœux. À ceux qui disaient «Dieu protège sa Grâce», il répondait:

— Dieu vous protège tous! Il vous remercie de tout son cœur.

Les gens du peuple étaient transportés à un point extraordinaire par les réponses pleines d'amour et les gestes de leur roi.

Dans la rue Fenchurch, une enfant blonde en parures coûteuses se dressa sur une estrade pour souhaiter au roi la bienvenue dans la cité et déclama ses vers par cœur. Le peuple poussa un cri d'allégresse, reprenant d'une seule voix ce que l'enfant avait dit. Tom Canty contempla cette mer d'ardents visages, son cœur se gonfla de joie. Il sentit que rien dans la vie ici-bas ne valait le fait d'être un roi idolâtré par une nation entière. Au loin, il aperçut deux de ses anciens camarades d'Offal Court. Ils étaient, ce jour-là comme toujours, en guenilles. L'un d'eux avait été le Grand Amiral de son ancienne cour factice, et l'autre le Premier Lord de la chambre à coucher. Son orgueil s'enfla démesurément. Oh, si seulement ils pouvaient le reconnaître à présent! Quelle gloire indicible ce serait s'ils pouvaient le reconnaître, et se rendre compte que le ridicule faux roi des taudis et des impasses était devenu un roi véritable, avec des ducs illustres et des princes pour humbles domestiques, et toute l'Angleterre à ses pieds! Mais il dut se ressaisir et refouler ce désir, car une telle reconnaissance lui coûterait cher. Il aurait tant aimé leur prouver que le roi de Pudding Lane n'était pas un roi imaginaire, mais bien celui vers qui ils tournaient maintenant leurs yeux admiratifs. Il détourna la tête, et laissa les deux garçons malpropres continuer leurs cris et leurs adulations dans la joie. Ils ne se doutaient guère sur qui ils déversaient réellement leurs démonstrations de fidélité.

De partout à la fois s'élevait un cri:

— Largesses! Largesses!

Tom y répondait en éparpillant une poignée de pièces d'or toutes neuves à l'intention de la foule qui se précipitait vers elles.

Au haut de la rue Gracechurch, la cité avait dressé un arc de triomphe magnifique sous lequel il y avait une estrade qui occupait toute la largeur de la rue. Sous l'arche se trouvait une représentation historique des ancêtres immédiats du roi : Élisabeth d'York au centre d'une immense rose blanche dont les pétales formaient des falbalas complexes autour d'elle ; à ses côtés était Henri VII, se découpant sur une large rose rouge, disposée de la même façon ; les mains de ce couple royal étaient étroitement enlacées, et la reine portait au doigt un anneau de mariage d'une dimension prodigieuse, de manière à le rendre bien apparent. Des roses rouge et blanche sortait une tige qui se déployait sur une seconde estrade, occupée par Henri VIII et l'effigie de la mère du nouveau roi, Jane Seymour, était représentée à ses côtés. Une branche jaillissait de ce couple et s'élevait vers une troisième estrade, où siégeait la figure d'Édouard VI lui-même, trônant dans sa royale majesté. Toute cette représentation était encadrée de guirlandes de roses rouges et blanches.

Cette ingénieuse et subtile allégorie exerça une telle action sur la foule en liesse que les acclamations recouvrirent complètement la faible voix de l'enfant dont la mission était de commenter ce spectacle à l'aide de vers rythmés et harmonieux d'un poète illustre. Mais Tom Canty ne s'en désola pas, car ces hurlements de loyauté furent pour lui une musique plus douce que tout poème. Lorsque cependant Tom tourna son jeune visage heureux et que la foule put apprécier l'exacte ressemblance que la représentation offrait avec lui-même en chair et en os, de nouveaux déchaînements d'applaudissements éclatèrent.

La grande parade s'avança, et avança encore, franchissant arc de triomphe sur arc de triomphe, dépassant une succession étourdissante de tableaux spectaculaires et chargés de symboles, dont chacun offrait le modèle d'une vertu, d'un talent, d'un mérite du petit roi. D'un bout à l'autre de Cheapside, au plus haut de chaque édifice, à chaque fenêtre, se déployaient drapeaux et bannières. Les plus riches tapis, étoffes et draps d'or ornaient les rues. Ces échantillons représentatifs laissaient soupçonner l'opulence de leurs boutiques, et la splendeur de cette artère trouvait son égale dans d'autres rues et se faisait même parfois surpasser.

— Et dire que toutes ces magies et ces merveilles sont là pour accueillir qui? Moi! murmura Tom Canty.

Les joues du prétendu roi étaient rouges d'excitation, ses yeux étincelaient, ses sens nageaient dans un délire de bonheur. À ce moment précis, tandis qu'il levait la main pour lancer une nouvelle poignée de largesses, son œil rencontra un visage pâle, émacié et confondu d'étonnement qui était tendu vers lui depuis le second rang de la foule, son intense regard rivé sur lui. Une consternation sans bornes s'empara de lui.

Il avait reconnu sa mère!

Et sa main, paume vers le haut, se porta devant ses yeux – geste involontaire issu d'une mésaventure oubliée et que l'habitude avait perpétué.

La femme eut un cri et elle repoussa ceux qui lui barraient le passage. En moins d'un instant elle avait fendu on ne sait comment la foule et se retrouva à côté de lui. Se saisissant de la bride de la monture, elle arrêta le roi, embrassa sa jambe, la couvrit de baisers, et s'écria en levant vers lui un visage qui était transfiguré par le bonheur et l'amour :

— Oh, mon enfant, mon bien-aimé !

Trop surpris par la situation, les lèvres de Tom laissèrent tomber malgré lui un pitoyable :

— Femme, je ne vous connais pas !

À peine venait-il de prononcer ces mots qu'il se sentit comme piqué par une vipère. À l'instant, un officier de la Garde Royale la repoussa violemment en jurant, et la renvoya rouler là d'où elle venait d'une vigoureuse poussée de son bras musclé. Tom fut atteint jusqu'au cœur en la voyant ainsi traitée et lorsqu'elle se retourna pour le revoir une dernière fois, alors que la foule déjà la dérobait à sa vue, il la vit si blessée, le cœur si brisé, que la honte s'empara de lui, réduisit son orgueil en cendres, flétrit sa fausse royauté. Ses grandeurs furent tout à coup sans valeur, il lui sembla qu'elles tombaient de lui comme des guenilles pourries.

La procession avançait et avançait, dépassant des splendeurs toujours croissantes et des tempêtes d'applaudissements. Mais pour Tom Canty, ce fut comme si elles n'existaient plus. Il ne voyait rien, n'entendait rien. La royauté avait perdu toute grâce et toute douceur, son apparat devenait un reproche. Le remords rongeait son cœur. Il se dit «Oh! comme j'aimerais maintenant être libéré d'une telle captivité!»

Sans en avoir conscience il revenait aux expressions des premiers jours de sa grandeur forcée.

La scintillante parade continuait à se dérouler tel un radieux et interminable serpent le long des pittoresques ruelles de la vieille ville, traversant des nuées d'acclamations. Mais le roi n'en chevauchait pas moins la tête baissée, les yeux vides, ne voyant que le visage de sa mère et son regard blessé.

— Largesses ! Largesses !

Ce cri tombait dans une oreille qui ne le percevait plus guère.

— Vive Édouard d'Angleterre !

Cette explosion d'adulation faisait trembler la terre, mais elle demeura sans réponse de la part du roi. Il ne l'entendait que comme on perçoit le tonnerre des vagues à une très grande distance, car elle était étouffée par un autre bruit bien plus proche, à l'intérieur de son propre cœur, de sa conscience réprobatrice. Une voix ne cessait de répéter ces mots infamants : « Femme, je ne vous connais pas ! »

Ces mots lacéraient l'âme du roi comme le glas d'une cloche funèbre, comme l'appel suppliant de quelqu'un qu'on a poussé dans l'abîme et qu'on laisse périr, quand il suffirait seulement, pour le sauver, d'étendre la main.

De nouveaux spectacles glorieux se déployaient à chaque tournant ; de nouvelles merveilles, de nouvelles splendeurs, venaient frapper le regard. Les clameurs des batteries en attente furent libérées, de nouvelles expressions de ravissement jaillirent des gorges des foules qui les guettaient. Le roi ne réagit pas, et les voix réprobatrices qui proféraient des gémissements dans son cœur inconsolable étaient le seul son qu'il entendait.

Cette tristesse devint contagieuse. Peu à peu la joie qui se lisait sur les visages de la populace changea et se marqua de quelque chose qui ressemblait à de la sollicitude ou à de l'anxiété. Le volume des applaudissements enregistra lui aussi une baisse notable. Un malaise général semblait peser sur la fête. Le Lord Protecteur fronça un sourcil. Il était prompt à remarquer ce genre de modification et à en détecter rapidement les causes. Il éperonna sa monture, vint se ranger près du roi, se pencha très bas, la tête découverte et dit :

— Mon suzerain, le moment est mal choisi pour rêvasser. Le peuple observe votre tête basse, votre mine sombre et les prend pour un mauvais présage. Recevez mon conseil : il importe que la royauté apparaisse au peuple comme un soleil qui resplendit. Chassez vos sombres pensées, sire, levez la tête et souriez. Votre peuple vous regarde !

Parlant ainsi, le duc éparpilla une poignée de pièces d'or à droite et à gauche et regagna sa place. Le roi obéit mécaniquement aux ordres qu'il avait reçus. Son sourire était vide, mais peu de regards furent assez proches ou assez pénétrants pour s'en apercevoir. Les inclinaisons de sa tête emplumée quand il saluait ses sujets étaient pleines de grâce et d'aménité. Les largesses que répandait sa main étaient d'une libéralité si royale que l'anxiété du peuple se dissipa et les acclamations retentirent à nouveau à plein volume.

Cependant, une fois de plus, un peu avant la fin du défilé, le duc dut à nouveau se rapprocher du roi et émettre une remontrance. Il chuchota :

— Sire, au risque d'encourir votre colère, je vous en supplie, chassez ces noires humeurs, car les regards de l'univers sont fixés sur vous.

Et il ajouta avec une vive contrariété :

— Maudite soit cette pauvre femme imbécile ! C'est elle qui a troublé Votre Altesse.

La silhouette resplendissante tourna vers le duc des yeux éteints et dit d'une voix sans vie :

— C'était ma mère !

— Mon Dieu ! se lamenta le Protecteur en reculant à nouveau jusqu'à sa place, la foule ne s'était point trompée en pressentant un mauvais présage. Le voilà fou à nouveau !

CHAPITRE XXXII

C'était à l'abbaye de Westminster que devait avoir lieu le couronnement du roi d'Angleterre Édouard VI, fils et successeur d'Henri VIII.

Dès quatre heures du matin, une foule compacte avait envahi les galeries éclairées par des torches et, malgré le fait qu'il faisait encore nuit et qu'il fallait attendre sept ou huit heures avant le début de la cérémonie, des centaines de personnes avaient déjà pris place sur les banquettes réservées d'où elles espéraient voir ce qu'elles ne verraient probablement qu'une fois dans leur vie : le couronnement d'un monarque.

Tout Londres s'était donné rendez-vous à l'abbaye, mais tous ne pouvaient pénétrer à l'intérieur de l'édifice. Il fallait, pour avoir ce privilège, faire valoir un grand titre, de hautes protections et être parmi les premiers arrivés. Ceux qui s'y trouvaient regardaient ainsi les heures défiler avec un certain enthousiasme, heureux de figurer au nombre de ceux qui emplissaient les galeries.

Un silence recueilli et profond régnait dans cette immense assemblée. L'imposante majesté de ce lieu sacré, la solennité de l'événement qui allait s'accomplir, inspiraient une sorte de silence respectueux.

À cette époque, l'abbaye existait déjà depuis près de dix siècles. Vue du dehors, elle présentait un aspect pittoresque et gothique. La porte centrale était ornée d'un grand nombre de statues qui semblaient admirer l'immense rosace en façade. Quiconque frôlait l'ombre de l'abbaye se sentait immédiatement envahi par le sentiment d'être minuscule et insignifiant.

L'intérieur de l'édifice n'était pas moins admirable. L'imposant monument, en plus de laisser voir des balcons remplis à ras bords de spectateurs nombreux, montrait fièrement ses piliers massifs, ses riches vitraux colorés, sa nef d'une hauteur vertigineuse, son plancher dallé meurtri par mille ans d'usure. Le transept nord était vide, attendant l'arrivée des dignitaires de l'Angleterre. La plate-forme surélevée où se dressait le trône était ensevelie sous de riches tapisseries. Le trône aussi bien que le tabouret pour les pieds étaient recouverts de draps d'or. Dissimulée sous le trône, la pierre de Scone – symbole tout-puissant de la royauté écossaise – conférait au siège, qui avait servi à de nombreuses générations de souverains lors de leur couronnement, un caractère sacré.

Le silence règnait, les torches clignaient avec monotonie, le temps se traînait pesamment. Mais finalement la tardive lumière du jour s'affermit, on éteignit les torches, et une moelleuse lueur dorée envahit tout l'espace. Tous les détails de la noble architecture étaient maintenant distincts, mais estompés comme dans un rêve, car de légers nuages voilaient le soleil.

À sept heures, la première rupture se produisit dans cette monotonie endormante, au moment où un officier vêtu de satin et de velours pénétra dans l'enceinte. Un autre, semblable au précédent, portait la longue traîne d'une dame, une pairesse au port noble. Quand la dame prit place, il disposa la traîne pour elle sur ses genoux et approcha ensuite selon ses désirs un tabouret pour ses pieds, après quoi il mit à sa portée sa couronne ducale, que les nobles devaient, à un moment donné de la cérémonie, mettre simultanément sur leur tête.

Entre-temps, d'autres pairesses avaient débouché en masse tel un fleuve scintillant, et les officiers en satin brillaient et voletaient à droite et à gauche, les aidant à s'asseoir et les installant confortablement. La scène maintenant s'animait vraiment. De loin, on aurait cru qu'il s'agissait d'un immense bouquet de fleurs aux couleurs variées, étincelant sous le feu des diamants et des pierreries. Après quelque temps, le silence régna à nouveau lorsque les pairesses furent toutes arrivées. Tous les âges y figuraient : des douairières brunies, ridées, aux cheveux blancs, capables de reculer loin dans le fil du temps et de se souvenir du couronnement de Richard III et des jours troublés de cette époque lointaine et oubliée ; de belles dames d'âge moyen ; d'adorables et gracieuses jeunes matrones ; de gentilles et jolies jeunes filles, aux yeux rayonnants et au teint rosé, qui peut-être mettraient leur diadème de pierreries avec quelque maladresse le moment venu. La chevelure de toutes ces dames avait d'ailleurs été artistement arrangée en vue de la mise en place rapide et efficace du diadème quand le signal en serait donné.

Le «coin des pairesses» devenait plus splendide d'instant en instant, à mesure que la clarté du jour faisait son chemin dans le transept. Aux alentours de neuf heures, les nuages tout à coup s'écartèrent, un rayon de soleil perça la douce atmosphère dorée et pénétra peu à peu les rangs des nobles dames. Chaque rang qu'il touchait fut incendié de mille couleurs éblouissantes et provoqua au sein de l'assistance une sensation électrique. La sainteté du lieu ne put empêcher un immense murmure d'admiration et de surprise lorsqu'un envoyé spécial d'Extrême-Orient s'avança parmi les ambassadeurs étrangers. Son costume, frappé d'un faisceau de lumière, brillait de mille feux et le montrait enveloppé de flammes tant il était constellé de joyaux étincelants des pieds à la tête. À chaque mouvement qu'il effectuait, des jets de lumière jaillissaient de son corps et éblouissaient l'assemblée.

Une heure se passa, puis encore une autre, puis une troisième, une quatrième, une cinquième. Alors la détonation sourde de l'artillerie fit savoir que le roi et son grand cortège étaient finalement arrivés. Au dehors, une clameur s'éleva pour faire écho au bourdonnement confus et surexcité des gens à l'intérieur. La multitude qui attendait se réjouit. Ils savaient tous que s'ensuivrait un nouveau délai, car le roi devait être apprêté et paré pour le solennel cérémonial, mais ce délai serait plaisamment rempli par l'arrivée des pairs du royaume dans leurs superbes costumes. On les conduisit cérémonieusement à leurs sièges, on plaça leurs couronnes à la portée de leurs mains. Le tout suscita un vif intérêt chez la multitude, dont la plupart contemplait pour la première fois ces ducs, ces comtes, ces barons, aux noms historiques depuis cinq cents ans. Lorsque tous à la fin furent assis, le spectacle offert aux galeries et aux postes d'observation dans leur ensemble se termina.

Revêtus de leurs costumes d'apparat et mitrés, les hauts dignitaires de l'église et leurs suites défilèrent ensuite sur la plate-forme et prirent place sur leurs sièges réservés, suivis par le Lord Protecteur et d'autres hauts personnages, puis ceux-là à nouveau par un détachement de la garde en acier étincelant.

Il y eut une pause et une attente. Ensuite, à un signal, une musique triomphale éclata, et Tom Canty, dans un long vêtement d'or bordé d'hermine, apparut à la porte et s'avança vers la plate-forme. Il posa le pied sur la première marche et l'assemblée toute entière se mit debout, et la cérémonie de l'inauguration commença.

L'abbé de Westminster entonna d'une voix claire et profonde un hymne sacré. Des hérauts proclamèrent l'avènement du nouveau règne. Tom Canty gravit les trois autres marches du trône et, debout, il regarda l'assistance et inclina la tête. Tous les yeux étaient fixes, toutes les respirations suspendues. Ainsi accueilli, Tom Canty fut conduit jusqu'au trône. Des hérauts proclamèrent l'avènement du nouveau règne. L'antique cérémonie se poursuivit avec une grande solennité, sous les regards fascinés de l'assistance. Tandis qu'elle se rapprochait encore et de plus en plus de son accomplissement, Tom Canty devenait de plus en plus pâle, et un désespoir profond, de plus en plus profond, fait de mépris envers lui-même, s'installait dans son âme, dans son cœur plein de remords.

La cérémonie était enfin près de s'achever. L'archevêque de Cantorbéry prit la couronne d'Angleterre sur son coussin, la souleva et la tint immobile au-dessus de la tête tremblante du faux roi. Au même moment des éclairs de toutes les couleurs de l'arc-en-ciel fusèrent tout au long du vaste transept – d'un même mouvement, chacun des individus qui faisaient partie du grand rassemblement des nobles en ce lieu avait levé sa couronne ou son diadème, le tenant au-dessus de sa propre tête et s'immobilisant dans cette attitude.

Des «chut!» se firent entendre à travers toute l'abbaye. Dans ce moment impressionnant, une extraordinaire intrusion interrompit la scène. Lentement, solennellement, un enfant que personne n'avait remarqué s'avança jusqu'au pied du trône. L'enfant, tête nue, mal chaussé, grossièrement vêtu de vêtements qui tombaient en loques. Il éleva sa main d'un geste impérieux qui jurait étrangement avec son aspect souillé et piteux, et émit l'avertissement suivant:

— Je vous interdis de poser la couronne d'Angleterre sur le front de cet imposteur. C'est *moi* qui suis le roi.

Aussitôt, plusieurs mains indignées se posèrent sur l'enfant, mais Tom Canty dans ses vêtements royaux fit immédiatement un rapide pas en avant et cria d'une voix vibrante:

— Laissez-le et prenez garde à vous! *C'est le roi!*

Une panique née de la stupeur balaya en quelque sorte l'assemblée dont une partie se leva pour regarder l'autre d'un air égaré, puis le personnage principal de cette scène, comme des gens qui se demandaient s'ils étaient éveillés et avaient tous leurs esprits, ou s'ils étaient endormis et rêvaient. Le Lord Protecteur était aussi abasourdi que les autres, mais il se ressaisit rapidement et s'exclama avec autorité:

— Ne faites pas attention à ce que dit Sa Majesté, vous connaissez sa terrible maladie. Saisissez ce vagabond!

Il aurait été obéi, mais le faux roi tapa du pied et s'écria:

— Attention! N'y touchez pas, c'est le roi!

Les mains se retirèrent. La paralysie s'empara de toute l'assistance. Personne ne bougeait, personne ne parlait. Assurément, personne ne savait que dire ni que faire dans une situation d'urgence à ce point surprenante et étrange. Tandis que tous les esprits s'agitaient et tentaient de se ressaisir, l'enfant continuait d'avancer sans fléchir, le front haut, l'allure assurée. Depuis le début il ne s'était à aucun moment arrêté. Il avançait toujours, la tête haute, l'air menaçant. Tandis que les esprits de tous nageaient désespérément dans la confusion la plus totale, il gravit les marches de la plate-forme. Le faux roi courut au devant de lui, le visage radieux, s'agenouilla devant lui, et bredouilla :

— Ô mon roi et seigneur, laissez le malheureux Tom Canty être le premier à vous jurer fidélité et vous dire : Prenez la couronne et tout ce qui vous appartient !

Le regard du Lord Protecteur se posa sévèrement sur le visage du nouvel arrivant, mais tout à coup la sévérité s'effaça et fit place à un air d'étonnement émerveillé. Cela se produisit aussi chez les autres hauts personnages. Ils se regardèrent les uns les autres et reculèrent d'un pas, muets de stupeur. Ils pensaient tous à part eux la même chose : « Quelle extraordinaire ressemblance ! »

Le Lord Protecteur réfléchit quelques instants, perplexe. Il fit un pas en direction de l'enfant inconnu, puis s'adressant à Tom Canty, il demanda d'une voix respectueuse :

— Daignez, sire, me permettre d'interroger…

— Je répondrai, monseigneur, dit l'enfant inconnu avec hauteur.

Le duc posa un grand nombre de questions portant sur la cour, le feu roi, le prince, les princesses. L'enfant y répondit sans faute et sans hésitation. Il décrivit les appartements officiels du palais, les chambres du feu roi et celles du prince de Galles.

— Comme c'est étrange!

— Merveilleux!

— Cela est véritablement inconcevable!

Tous ceux qui assistaient à l'interrogatoire soulignaient l'exactitude des réponses de l'enfant à l'aide de leurs exclamations. Le cours des choses commençait à s'inverser, et le Lord Protecteur hocha la tête et dit:

— Il est vrai que tout cela est bien extraordinaire. Tout ce que raconte cet enfant est vrai, mais le roi aurait pu dire comme lui et beaucoup de seigneurs de la cour savent depuis longtemps tout ce qu'ils viennent d'entendre. En un mot, rien ne prouve...

Cette observation, et le fait qu'on parlait encore de lui en l'appelant le roi, assombrirent Tom Canty. Il sentait ses espérances crouler sous lui.

— Ce ne sont pas des *preuves*, ajouta le Protecteur.

Le cours des choses s'inversait très rapidement à présent – mais pas dans le bon sens. Il conservait le malheureux Tom Canty échoué sur le trône et rejetait l'autre à la mer. Le Lord Protecteur délibéra avec lui-même – hocha la tête – une idée s'imposait à lui. « Il est dangereux et pour l'État et pour nous tous d'entretenir une énigme aussi mortelle que celle-ci; elle pourrait diviser la nation et saper le trône. » Le Lord Protecteur observait les deux enfants avec anxiété.

Son visage s'illumina soudainement et il mit à l'épreuve le candidat déguenillé en lui posant la question suivante :

— Où se trouve le grand sceau? Répondez à cette question sans vous tromper et l'énigme sera résolue, car seul celui qui était vraiment le prince de Galles *peut* répondre! C'est à une pareille bagatelle que sont suspendus un trône et une dynastie!

C'était là une idée heureuse, une idée géniale. Aucun des grands dignitaires présents n'avait perdu le souvenir de cet événement resté inexplicable, et sur lequel Tom Canty n'avait jamais fourni d'explication catégorique. Les hauts personnages manifestèrent leur appui par des applaudissements silencieux qui éclatèrent dans leurs regards et parcoururent leur cercle sous forme de brillants coups d'œil approbateurs. C'était vrai, nul autre que le véritable prince ne pourrait résoudre le mystère du grand sceau disparu. Ce triste petit imposteur avait bien appris ses leçons, mais elles atteignaient là leurs limites, car le professeur lui-même ne pouvait pas répondre à ladite question. À présent, ils seraient débarrassés bien vite de cette situation trouble et périlleuse! C'est ainsi qu'ils hochaient imperceptiblement la tête, souriaient intérieurement avec satisfaction. Tous s'attendaient à voir le petit mendiant audacieux se confondre en une coupable confusion. En effet, comment cet imposteur pouvait-il deviner ce que seul le prince de Galles était en mesure de savoir? Quelle surprise eurent-ils alors de voir que rien de ce genre n'arrivait – combien furent-ils émerveillés de l'entendre répondre tout de suite, d'une voix assurée et sans trouble :

— Il n'y a rien de difficile dans cette énigme. Je vais vous dire où il se trouve.

Sur quoi, sans demander aucune permission à personne, il se retourna et donna des ordres avec l'aisance de quelqu'un qui en avait l'habitude :

— Lord Saint-John, allez dans mon cabinet privé au palais – personne ne connaît cet endroit mieux que vous – et tout près du sol, à gauche, dans le coin le plus éloigné de la porte qui s'ouvre depuis l'antichambre, vous trouverez dans le mur un clou dont la tête est de cuivre ; pressez-le, et s'ouvrira aussitôt une petite armoire à bijoux que même vous, vous ne connaissez pas. Non, personne au monde – sauf moi et l'artisan de toute confiance qui le fit pour moi – ne connaît cette cachette. Le premier objet qui vous tombera sous les yeux sera le grand sceau. Rapportez-le-moi.

Toute l'assistance fut ébahie à ce discours, et encore plus ahurie de voir ce petit mendiant s'adresser à ce pair sans hésiter ni craindre semblait-il de se tromper, et l'appeler par son nom avec une placidité qui donnait l'impression qu'il le connaissait depuis sa naissance. Le pair lui-même fut si surpris qu'il faillit obéir. Il esquissa un mouvement comme pour y aller, mais reprit vite son attitude impassible et confessa son erreur en rougissant. Tom Canty se tourna vers lui et dit sèchement :

— Pourquoi hésitez-vous ? N'avez-vous pas entendu les ordres du roi ? Allez !

Lord Saint-John obéit avec la plus grande soumission – on remarqua que sa révérence était des plus prudentes et ne l'engageant en rien, car elle ne s'adressait à aucun des deux rois, mais à un point intermédiaire du sol entre les deux.

Au moment où Lord Saint-John s'éloignait de l'estrade royale, on put constater un autre phénomène presque imperceptible, il est vrai, mais pourtant manifeste. Il y eut, dans le groupe des dignitaires qui se pressaient au pied du trône, comme un mouvement automatique. Petit à petit, sans même s'en rendre compte, la foule entourant Tom Canty se désagrégeait et paraissait vouloir graviter à présent autour de l'enfant inconnu. À mesure que se prolongeait l'attente causée par la commission de Lord Saint-John, les seigneurs qui étaient à droite passaient doucement à gauche de façon naturelle, sans que personne puisse même dire qu'ils avaient changé de côté. Pour finir, Tom Canty, royalement vêtu et avec tous ses joyaux, se retrouva tout à fait seul, isolé du monde, silhouette en vue occupant une place éloquemment vide.

Sur ce, on vit Lord Saint-John revenir. Tandis qu'il s'avançait vers le milieu de l'allée, l'intérêt du public était si intense que le menu bruit des conversations de la vaste assemblée s'éteignit et fit place à un grand silence, chacun retenant son souffle, et on entendit ses pas rythmés comme un pouls monotone et distant. Tous les regards étaient fixés sur lui tandis qu'il s'avançait. Il atteignit la plate-forme, s'immobilisa un instant, puis il se tourna vers Tom Canty avec une extrême déférence et dit :

— Sire, il y avait effectivement là un endroit secret bien dissimulé… mais le sceau ne s'y trouvait pas !

Pâles et terrifiés comme s'ils eussent fui le contact d'un pestiféré, la troupe de courtisans s'écarta du pouilleux petit candidat à la Couronne. En moins que rien il se retrouva tout seul, sans ami ni soutien, cible où se concentrait le feu amer de regards pleins de mépris et de colère. Le Lord Protecteur cria férocement :

— Qu'on jette ce mendiant dans la rue et qu'on lui inflige le fouet de par la ville. Ce misérable coquin ne mérite rien de plus!

Les officiers de la garde s'avancèrent pour mettre cet ordre à exécution, mais Tom Canty les renvoya d'un geste et dit:

— Arrière! Qui osera le toucher le fera au péril de sa vie!

Le Lord Protecteur demeura perplexe au plus haut point. Il ne pouvait laisser durer indéfiniment cette scène, à la fois pénible et dangereuse. Il demanda à Lord Saint-John:

— Avez-vous bien cherché? Vraiment, il ne sert à rien de vous demander cela. Cela paraît plus qu'étrange. De petits objets, des bibelots, des bagatelles peuvent échapper à notre champ visuel sans qu'il y ait lieu de s'en étonner, mais comment un objet aussi important que le sceau d'Angleterre peut-il s'être évaporé sans qu'aucun homme puisse en retrouver la trace... Un objet si lourd, avec un disque d'or massif...

Tom Canty, les yeux rayonnants, bondit en avant et cria:

— Attendez! Voilà qui me suffit! Était-ce un objet rond?... avec des lettres et des emblèmes gravés dessus?... Oui? Oh, *à présent* je sais ce que c'est que ce grand sceau qui a causé tant de tracas! Il existe effectivement une personne qui sait où il se trouve...

— Qui alors, mon suzerain? demanda le Lord Protecteur.

— Celui qui est debout là-bas – le véritable roi d'Angleterre. Il vous dira lui-même ce qu'il en a fait. Mon roi, réfléchissez – cherchez dans votre mémoire – ce fut le dernier, le *tout dernier* de vos actes en ce jour où, revêtu de mes haillons, vous vous êtes rué hors du palais pour châtier le soldat qui m'avait insulté.

Un silence s'ensuivit, que nul geste, nul chuchotis ne troubla. Tous les regards étaient fixés sur le nouveau venu qui se tenait debout, tête baissée, sourcils froncés, cherchant à tâtons dans sa mémoire, au milieu d'une multitude de trouvailles sans valeur, ce seul petit fait qui le fuyait et qui, s'il le retrouvait, l'assoirait sur un trône – et qui s'il ne le retrouvait pas, le laisserait dans l'état où il était, pour le meilleur et pour le pire, pauvre et rejeté. Les secondes s'écoulèrent l'une après l'autre et devinrent des minutes – l'enfant poursuivait sa lutte intérieure et ne donnait nul signe qu'il en fût venu à bout. Mais à la fin il émit un soupir, hocha lentement la tête, et dit, les lèvres tremblantes, sur un ton découragé :

— Je revois bien la scène, toute la scène, mais le sceau n'y tient aucune place.

Il s'arrêta, releva la tête, et dit avec douceur et dignité :

— Nobles seigneurs et gentilshommes, si vous désirez dépouiller votre authentique souverain de ce qui lui appartient, faute de cette preuve qu'il n'est pas capable de vous fournir, je ne peux pas rester, car je suis sans pouvoir. Mais…

— Quelle folie, mon roi, vous avez perdu l'esprit ! s'écria Tom, pris de panique. Attendez ! Réfléchissez ! N'abandonnez pas ! La cause n'est point perdue, ni ne le sera non plus! Écoutez mes paroles – suivez les bien mot à mot – je vais reconstituer toute cette matinée-là, tout ce qui s'est passé exactement comme cela s'est passé. Nous avons causé et je vous ai parlé de mes sœurs, Nan et Bet... Ah, vous vous en souvenez? Et de ma vieille grand-mère et des rudes amusements des garçons à Offal Court... Oui, vous vous en souvenez aussi? Parfait, suivez-moi bien tout va vous revenir. Vous m'avez donné à manger et à boire et vous avez renvoyé les domestiques avec une princière courtoisie, pour que mon défaut d'éducation ne me fasse pas honte devant eux... Ah, vous vous souvenez aussi de cela?

Tandis que Tom faisait défiler tous ces détails et que l'autre garçon hochait la tête et les reconnaissait l'un après l'autre, le vaste auditoire et les personnages officiels contemplaient tout cela, émerveillés et surpris. Ce conte sonnait vrai, et cependant, comment une rencontre aussi improbable entre un prince et un petit mendiant pouvait-elle s'être produite? Jamais on n'avait vu assistance si perplexe, si fascinée, si stupéfaite.

— Pour nous amuser, mon prince, nous avons échangé nos vêtements. Puis nous nous sommes tenus devant un miroir. Il y avait entre nous une ressemblance si grande qu'il semblait que rien n'avait changé... Oui, vous vous rappelez cela? Puis vous vous êtes aperçu que le soldat avait écorché ma main... Voyez! Cette main que voici, je ne peux toujours pas écrire correctement avec tant mes doigts sont encore raides. À cette vue, Votre Altesse a bondi, dans l'intention de punir ce soldat. Vous êtes passé devant une table – cette chose que vous appelez le sceau était sur cette table – vous l'avez attrapée, avez regardé impatiemment autour de vous comme si vous cherchiez où le cacher. Votre œil a rencontré une…

— Là, c’est assez! Dieu soit loué! s’écria le candidat en guenilles, au comble de l’excitation. Retournez-y, mon bon Saint-John. Dans un des éléments de l’armure milanaise qui est suspendue au mur, vous trouverez le sceau!

— Exact, mon roi! Exact! cria Tom Canty. À présent, le sceptre d’Angleterre est à vous, et mieux vaudrait être né muet à celui qui tenterait de le contester! Allez-y, Lord Saint-John, et que vos pieds aient des ailes!

Toute l’assemblée était maintenant debout, et quasiment hors d’elle de malaise, d’appréhension, d’excitation dévorante. Au parterre et sur la plate-forme naquit une assourdissante rumeur de frénétiques conversations, et durant quelque temps personne ne sut, n’entendit ou ne s’intéressa à quoi que ce fût sinon à ce que son voisin était en train de hurler à ses oreilles ou ce que lui-même était en train de hurler dans l’oreille de son voisin. Le temps – nul ne sut sa durée – passa sans qu’on y prît garde, sans qu’on le notât. Pour finir, des «chut!» retentirent tout à coup, tandis que Saint-John apparaissait sur la plate-forme, tenant haut le grand sceau dans sa main. Alors une clameur s’éleva :

— Vive le roi!

Pendant les cinq minutes qui suivirent, l’air trembla sous les cris et les bris d’instruments de musique et fut tout blanc sous une tempête de mouchoirs brandis. Au milieu de ce tumulte, un enfant déguenillé était le personnage le plus en vue de toute l’Angleterre. Édouard tint debout, rougissant, heureux et fier, au centre de la vaste plate-forme, avec tous les grands vassaux du royaume qui s'agenouillaient autour de lui.

Puis tous se relevèrent et Tom Canty s'écria :

— À présent, ô mon roi, reprenez ces vêtements, et rendez au malheureux Tom, votre serviteur, ses haillons et ses chiffons.

Le Lord Protecteur prit la parole :

— Qu'on déshabille ce voyou et qu'on le jette dans la Tour.

Mais le nouveau roi, le roi véritable, dit :

— Voilà ce que je ne tolérerai pas. Sans lui, je n'aurais pas recouvré ma couronne. Nul ne posera la main sur lui pour lui nuire. Et quant à vous, Lord Protecteur, votre conduite à son égard marque peu de reconnaissance envers ce pauvre enfant qui vous a fait duc. Il n'était cependant pas roi, donc, à présent, que vaut ce beau titre ? Demain, vous me présenterez une requête. Vous le prierez d'intercéder pour vous. S'il le veut, vous resterez duc, sinon vous redeviendrez ce que vous étiez avant son prétendu règne, simple comte.

Devant cette rebuffade, sa grâce le duc de Somerset s'effaça quelque peu provisoirement. Le roi se tourna vers Tom et dit avec gentillesse :

— Mon pauvre enfant, comment se fait-il que tu aies pu te rappeler où j'avais caché le sceau alors que je ne pouvais pas m'en souvenir moi-même ?

— Ah, sire, cela était facile, puisque je m'en servais souvent.

— Tu t'en servais – et pourtant tu ne pouvais pas dire où il était ?

— Je ne savais pas que c'était l'objet qu'ils cherchaient. Ils ne me l'avaient pas décrit, Majesté.

— Mais alors comment t'en servais-tu ?

Le rouge monta aux joues de Tom, il baissa les yeux et garda le silence.

— Parle, brave garçon, n'aie pas peur, dit le roi. Comment te servais-tu du grand sceau d'Angleterre ?

Tom bégaya quelques instants, en proie à une confusion pathétique, et finit par avouer :

— Pour casser des noix !

L'avalanche d'hilarité qui accueillit cet aveu faillit l'emporter. Mais si quelque doute avait subsisté que Tom Canty n'était décidément pas le roi d'Angleterre, familier des augustes prérogatives des rois, cette réplique balaya définitivement ces doutes.

Entre-temps, le somptueux manteau avait été ôté des épaules de Tom et mis sur celles du roi dont les haillons furent de cette façon efficacement dissimulés. Les cérémonies du couronnement se poursuivirent. Le roi véritable reçut l'onction, la couronne fut posée sur sa tête, dans le tonnerre du canon annonçant la l'événement à la cité de Londres. Des centaines de milliers de voix se répétaient de bouche en bouche la grande nouvelle.

CHAPITRE XXXIII

Miles Hendon était déjà assez à plaindre avant de se trouver pris dans l'émeute du pont de Londres – il le fut encore davantage quand il réussit à en sortir. Il n'avait pas beaucoup d'argent quand il y entra, il n'en avait plus du tout quand il en sortit. Les pickpockets l'avaient dévalisé jusqu'au dernier sou.

Mais peu importait, s'il retrouvait l'enfant. Lui qui était soldat, il ne se lança pas dans cette quête sans ordre ni méthode, mais se mit en devoir, tout d'abord, d'organiser sa campagne.

Qu'est-ce que l'enfant allait faire? Où irait-il tout naturellement? En bien – se disait Miles – il irait probablement vers les lieux qu'il avait fréquentés auparavant, car c'est ainsi qu'instinctivement se comportent les esprits malades autant que les esprits sains. Quels lieux avait-il fréquentés auparavant? Ses guenilles, jointes à la vilaine allure de cet homme qui avait eu l'air de le connaître et qui avait même prétendu être son père, suggéraient que ces lieux se situaient dans les quartiers les plus misérables et les plus sordides de Londres. Les recherches seraient-elles difficiles, prendraient-elles du temps? Non, elles seraient faciles et rapides. Ce qu'il allait chercher ne serait pas un enfant mais une foule, et au centre de cette foule, qu'elle fût nombreuse ou qu'elle fût clairsemée, tôt ou tard, il allait retrouver son malheureux jeune ami, c'était sûr. La populace galeuse serait en train de s'amuser, le harcelant et le tourmentant, aux dépens de l'enfant qui serait en train de se proclamer roi, comme d'habitude. Sur quoi Miles Hendon estropierait quelqu'un et emporterait son petit pupille pour le mettre à l'abri, le consoler et lui redonner un peu de joie de vivre en lui parlant affectueusement, et plus jamais ils ne seraient séparés.

C'est ainsi que Miles commença sa quête. Heure après heure il piétina des allées reculées et des ruelles sordides, cherchant des attroupements et des foules, en trouvant à foison, mais sans jamais aucune trace de l'enfant. Cela le surprit beaucoup mais ne le découragea pas. À ses yeux, rien ne clochait dans son plan de campagne. Le seul imprévu en était la longueur, car il avait cru que cette campagne serait brève.

Lorsque le jour du couronnement se leva enfin, il avait parcouru un grand nombre de kilomètres, fouillé de fond en comble foule après foule, mais le seul résultat en était qu'il était bien fatigué, franchement affamé, et très somnolent. Il aurait eu besoin d'un bon petit déjeuner, mais il n'avait aucun moyen de l'obtenir. L'idée qu'il aurait pu mendier ne l'effleura pas. Pour ce qui est de mettre son épée en gage, autant eût valu selon lui le dépôt en gage de son honneur. Il pouvait se passer de quelques-uns de ses vêtements, certes, mais on aurait plus facilement trouvé preneur d'une maladie que de ses vêtements dans l'état où ils étaient.

À midi, il piétinait encore. Cette fois-ci, il se trouvait au cœur de la populace qui suivait le cortège royal. Il pensait en effet que ce princier spectacle était susceptible d'attirer puissamment le jeune lunatique. Il suivit la parade dans tous ses tours et détours à travers les rues de Londres, et tout au long de son trajet jusqu'à l'abbaye de Westminster. Il dériva parmi les multitudes qui étaient massées alentour pendant un long moment. Égaré, indécis, il finit par s'éloigner, absorbé dans ses pensées et tâchant d'imaginer quelque moyen d'améliorer son plan de campagne. À la fin, quand il émergea de ses rêveries et revint à la réalité, il s'aperçut que la ville était loin derrière lui et que la journée était bien avancée. Il se trouvait près du fleuve, en pleine campagne. C'était un lieu où se dressaient de belles résidences rurales, donc pas un endroit où seraient accueillis chaleureusement des vêtements comme les siens.

Il ne faisait pas du tout froid. Il s'allongea sur l'herbe le long d'une haie pour se reposer et réfléchir. La somnolence commençait en fin de compte à s'emparer de lui, mais les coups de canon faibles et éloignés qui parvinrent étouffés à son oreille lui firent se dire:

— Le nouveau roi est couronné.

Et tout de suite il s'endormit. Cela faisait plus de trente heures qu'il n'avait pas dormi ni ne s'était reposé. Il ne s'éveilla pas avant le milieu de la matinée du lendemain.

Il se leva, boitillant, les articulations raides, et mourant de faim à moitié, se lava dans le fleuve, cala son estomac avec un ou deux litres d'eau, et repartit péniblement vers Westminster, se reprochant à part lui d'avoir perdu tant de temps. La faim lui suggéra à présent un nouveau plan: il allait essayer de contacter le vieux Humphrey Marlow afin de lui emprunter de l'argent, et ensuite…, mais ce plan était déjà suffisant pour l'instant, il serait bien temps de le poursuivre quand sa première étape serait accomplie.

Vers onze heures, il s'approcha du palais. Bien qu'entouré d'une nuée de gens aux couleurs criardes se dirigeant dans la même direction que lui, il ne passait pas inaperçu – son habillement était efficace pour cela. Il scruta de près les visages de ces gens, espérant trouver quelqu'un de charitable qui irait signifier son nom au vieil officier. Pour ce qui était de tenter d'entrer lui-même dans le palais, c'était tout simplement hors de question.

Pour finir, un jeune courtisan qui arrivait du palais se retourna pour l'examiner minutieusement, se demandant si ce vagabond ne serait pas celui que recherchait activement Sa Majesté. La description qu'on lui en avait faite convenait jusqu'au dernier bout de guenille. Il s'approcha de Miles afin de lui poser quelques questions. Hendon, voyant que quelqu'un s'intéressait enfin à lui, s'avança vers l'homme et dit:

— Vous venez de sortir du palais. En faites-vous partie?

— Oui, monseigneur.

— Connaissez-vous messire Humphrey Marlow?

Le jeune homme sursauta, surpris qu'on lui nomme le nom d'un serviteur du roi alors qu'il s'attendait à ce que Hendon lui demande de voir le roi en personne. Sur quoi il répondit à haute voix:

— Je le connais bien, monseigneur.

— Parfait! Est-ce qu'il est au palais en ce moment?

— Oui, dit le jeune homme, un peu curieux de savoir ce que ce soldat de fortune pouvait bien vouloir au menin du roi.

— Voudriez-vous me rendre un immense service et lui faire passer mon nom, en plus de lui demander de m'accorder un peu de son temps puisque j'aurais deux mots à lui dire en particulier?

— Je transmettrai votre message tout de suite et très volontiers, mon bon monsieur, le rassura Humphrey, un sourire mi-figue, mi-raisin.

— Alors dites-lui que Miles Hendon, fils de sir Richard, est ici et désire lui parler. Je vous en serai très reconnaissant, mon jeune ami.

Le courtisan parut de nouveau surpris. Il lui semblait bien que c'était là le nom de la personne que cherchait le roi! Ainsi, il avait bien eu raison!

Tout énervé, il dit à Miles:

— Mettez-vous ici un instant, mon bon monsieur, et attendez-moi jusqu'à ce que je revienne vous parler.

Puis le jeune homme détala en toute vitesse, convaincu que sa trouvaille serait bien récompensée.

Hendon se retira dans le lieu indiqué. C'était un recoin creusé dans le mur du palais, avec un banc de pierre à l'intérieur, un abri contre le mauvais temps pour les sentinelles. Il venait tout juste de s'asseoir quand un détachement de hallebardiers, commandés par un officier, passa. L'officier l'aperçut, fit stopper ses hommes, et donna l'ordre à Hendon de venir. Celui-ci obéit, et fut promptement arrêté en tant que personnage douteux rôdant à l'intérieur des limites du palais. La situation devenait critique. Le malheureux Miles allait s'expliquer, mais l'officier lui imposa rudement le silence et ordonna à ses hommes de le désarmer et de le fouiller.

— Puisse Dieu, dans sa miséricorde, accorder qu'ils trouvent quelque chose, soupira le pauvre Miles. J'ai eu beau fouiller, moi, je n'ai pas trouvé l'ombre d'un sou, et Dieu sait que j'en ai bien plus besoin qu'eux.

On ne trouva rien sur lui qu'un document. L'officier l'ouvrit brutalement et Hendon sourit quand il reconnut l'écriture de son jeune ami perdu. Le visage de l'officier s'assombrit tandis qu'il lisait le paragraphe anglais, et celui de Miles se décolora en sens inverse tandis qu'il écoutait.

— Encore un nouveau candidat à la couronne! s'écria l'officier.

— Vraiment, ils se reproduisent tels des lapins aujourd'hui. Emparez-vous de cette fripouille, mes hommes, et veillez à le tenir serré tandis que j'amène ce précieux papier au palais et le fais parvenir au roi.

Il s'éloigna d'un pas pressé, laissant le prisonnier aux mains des hallebardiers.

— Voilà la fin de mes ennuis finalement, marmonna Hendon, vu que je vais me balancer au bout d'une corde, c'est une certitude, à cause de ce petit bout d'écriture. Et que deviendra mon pauvre gamin! Ah, c'en est fait de nous!

Finalement, il vit l'officier revenir en toute hâte. Il rassembla tout son courage, se préparant à faire face comme un homme à son destin. L'officier ordonna aux hommes de délier le prisonnier et de lui rendre son épée. Ensuite, il s'inclina respectueusement et dit:

— S'il vous plaît, messire, veuillez me suivre.

Hendon le suivit, se disant : « Si je n'étais pas en route vers la mort et le jugement, j'étranglerais ce misérable qui fait mine d'être poli. »

Tous deux traversèrent une cour encombrée et arrivèrent à l'entrée principale du palais, où l'officier, avec une nouvelle courbette, remit Hendon aux mains d'un magnifique personnage officiel, qui l'accueillit avec un profond respect, lui fit traverser un grand hall entre deux lignes de splendides lèche-bottes (qui firent des révérences sérieuses au passage des deux hommes, mais se tordirent silencieusement de rire aux dépens de cet épouvantail dès qu'il eut tourné le dos), lui fit gravir un large escalier parmi des nuées de personnages raffinés, et finalement l'amena jusqu'à une vaste salle, dégagea un passage au sein de toute la noblesse d'Angleterre assemblée, puis fit encore une courbette, lui rappela d'ôter son chapeau, et le laissa debout au milieu de la salle, point de mire pour tous les regards, grimaces indignées, sourires d'amusement ou de dérision.

Miles Hendon était complètement dérouté. Là était assis le jeune roi, sous un dais officiel, à cinq pas de lui, la tête baissée et détournée, parlant avec une sorte d'oiseau de paradis humain, c'est-à-dire un duc. Hendon se fit la remarque à part lui qu'il était déjà suffisamment dur de se voir condamné à mort sans avoir en plus à se faire humilier en public de cette manière particulière. Il désirait que le roi fît vite – quelques-uns des personnages fastueux qui l'entouraient se faisaient franchement offensants. À ce moment, le roi releva légèrement la tête et Hendon put voir nettement son visage. Ce spectacle lui coupa quasiment le souffle ! Il restait là, contemplant ce frais jeune visage, comme pétrifié, et finalement poussa un faible cri :

— Voyez, le seigneur du royaume des Chimères siégeant sur son trône !

Il marmonna quelques paroles sans suite, le fixant toujours et s'émerveillant. Puis son regard se détourna et parcourut les lieux, examinant la foule magnifique, le splendide salon, tandis qu'il murmurait :

— Mais ils sont *vrais* – ils sont réellement vrais – sans aucun doute cela ne peut être un rêve.

Il regarda fixement le roi à nouveau et il pensa : « Est-ce un rêve ?... ou est-il l'authentique souverain d'Angleterre et non pas le pauvre fou seul et sans amis pour lequel je l'ai pris ? Qui me donnera la clé de l'énigme ? »

Tout à coup son œil brilla : il eut une idée. Il marcha vers le mur à grandes enjambées, s'empara d'une chaise, la rapporta, la planta sur le sol et s'y assit !

Des rumeurs d'indignation éclatèrent, une main rude se posa sur lui et une voix s'écria :

— Debout, espèce de pantin malappris ! S'assoit-on en présence du roi ?

L'incident éveilla l'attention de Sa Majesté, qui étendit la main et cria :

— Ne le touchez pas, il est dans son droit !

La foule recula, stupéfaite. Le roi poursuivit :

— Sachez tous, lords, dames et gentilshommes, sachez tous que voici mon fidèle et bien-aimé serviteur, Miles

Hendon, qui s'interposa avec sa bonne épée et épargna à son prince des blessures, voire la mort – services pour lesquels il a été fait chevalier par le roi. Sachez encore que pour un service plus haut, par lequel il a épargné à son souverain les marques et la honte du fouet, qu'il prit pour lui, il est maintenant pair d'Angleterre, comte du Kent, et recevra en or et en terres ce qui est nécessaire pour soutenir une telle dignité. Et plus encore : le privilège dont il vient de se prévaloir lui appartient, par don royal, car nous avons ordonné que les chefs de sa lignée auront et conserveront le droit de s'asseoir en présence de Sa Majesté d'Angleterre dorénavant, de générations en générations, aussi longtemps que la couronne durera. Ne le molestez point.

Deux personnages qui, ayant été retardés, n'étaient arrivés que ce matin de la campagne et n'étaient dans la salle que depuis cinq minutes, restaient immobiles, écoutant ces paroles, regardant le roi, regardant l'épouvantail, regardant à nouveau le roi, dans une sorte de torpeur et d'égarement. C'étaient messire Hugh et Lady Edith. Mais le nouveau comte ne les voyait point. Il contemplait encore et toujours le monarque, l'air ébloui, et murmurait :

— Oh, mort de ma vie ! *Le voilà* mon pauvre ! Le voilà mon lunatique ! Le voilà l'être qui n'avait jamais porté que des haillons, reçu en réconfort que des coups, et pour nourriture des déchets. Le voilà l'être que je voulais adopter pour en faire une personne respectable. Et moi qui parlais avec vanité, à lui, de la grandeur de mes domaines et de ma demeure de soixante-dix chambres et vingt domestiques ! Que Dieu m'accorde un sac pour y cacher ma tête !

Sur quoi les bonnes manières lui revinrent soudain à la mémoire, il fléchit le genou, et, les mains dans celles du roi, lui fit allégeance et hommage de ses titres et de ses terres. Puis il se releva et se plaça respectueusement sur le côté, demeurant encore le centre de l'attention générale, et l'objet de beaucoup d'envie.

Le roi découvrait maintenant messire Hugh et se mit à parler d'une voix courroucée, l'œil flamboyant de colère:

— Dépouillez ce voleur de ce qui ne lui appartient pas, et enfermez-le en prison jusqu'à ce que j'aie besoin de lui.

Celui qui avait été messire Hugh fut emmené dehors.

Il y avait maintenant du mouvement à l'autre bout de la salle. L'assemblée s'écarta, et Tom Canty, bizarrement mais richement vêtu, s'avança, précédé d'un huissier, entre ces deux murailles vivantes. Il s'agenouilla devant le roi, qui lui dit:

— On m'a instruit de ce qui s'est déroulé ces dernières semaines. Je suis content de toi. Tu as gouverné le royaume avec une droiture, une aménité et une clémence toutes royales. As-tu retrouvé ta mère et tes sœurs? C'est bien, on prendra soin d'elles et ton père sera pendu, si tel est ton désir et si la loi l'autorise. Sachez, vous tous qui entendez ma voix, qu'à partir d'aujourd'hui les occupants de l'église du Christ qui bénéficient de la bonté du roi recevront de la nourriture pour leur esprit et pour leur cœur aussi bien que pour leur corps; sachez aussi que ce garçon y logera et y tiendra le premier rang dans l'honorable corps des régents, sa vie durant. Qu'on prenne bien note de son habillement de cérémonie, par lequel on le reconnaîtra et que nul n'aura le droit de copier. Partout où il ira, ce costume rappellera au peuple qu'il a été en son temps un personnage royal, et nul ne manquera à la révérence qu'il lui doit et tous le salueront en conséquence. Protégé du trône, appuyé par la couronne, il sera connu et évoqué sous l'honorable titre de pupille du Roi.

Fier et heureux, Tom Canty se releva, baisa la main du roi et fut emmené hors de sa présence. Sans perdre un instant, il se précipita chez sa mère pour tout lui raconter ainsi qu'à Nan et Beth, afin de les voir partager et soutenir avec lui la joie de ces grandes nouvelles.

ÉPILOGUE

Lorsque les énigmes s'éclaircirent, il apparut, grâce aux aveux de Hugh Hendon, que c'était sur son ordre que son épouse avait renié Miles ce jour-là à Hendon Hall. Cet ordre avait été appuyé par la promesse que, si elle refusait de coopérer, elle y perdrait la vie. À quoi elle avait répondu qu'il pouvait prendre celle-ci, qu'elle n'y tenait guère et qu'elle ne renierait point Miles. Le mari avait dit alors qu'elle serait, elle, épargnée, mais que ce serait Miles qu'il ferait assassiner! Voilà qui était différent, si bien qu'elle donna sa parole et tint celle-ci.

Hugh ne fut pas poursuivi pour ses menaces ni pour le vol des biens et des titres de son frère, car son épouse et son frère ne voulurent point déposer contre lui. Hugh abandonna sa femme et partit sur le continent, où il finit par mourir, et finalement le comte de Kent put épouser sa veuve. Il y eut des fêtes et des réjouissances au village quand le couple entra pour la première fois dans Hendon Hall.

Du père de Tom on n'entendit plus jamais parler.

Le roi rechercha le fermier qui avait été marqué au fer rouge et vendu comme esclave, lui fit échapper à sa vilaine vie dans la bande de l'Ébouriffeur, et lui donna les moyens de mener une existence confortable.

Il fit aussi sortir de prison cet autre qui était avocat et amnistia son amende. Il offrit de bons foyers aux filles des deux femmes baptistes qu'il avait vues brûlées sur le bûcher, et châtia vertement l'agent qui avait lacéré de coups de fouet immérités le dos de Miles Hendon.

Il épargna les galères à l'enfant qui avait recueilli un faucon en perdition, ainsi qu'à la femme qui avait volé un morceau d'étoffe à un tisserand, mais il arriva trop tard pour pouvoir sauver l'homme qui avait été condamné pour avoir tué un cerf dans la forêt du roi.

Il honora de sa faveur le juge qui avait eu pitié de lui quand on l'avait accusé d'avoir volé un cochon, et il eut le plaisir de le voir grandir dans l'estime publique et devenir un haut personnage respecté de tous.

Tout au long de sa vie, le roi se plut à évoquer l'histoire de ses aventures d'un bout à l'autre, depuis le moment où la sentinelle l'avait jeté loin de la grille du palais jusqu'à cette dernière nuit où il avait réussi à intégrer une troupe d'ouvriers affairés, s'était glissé dans l'abbaye, s'était caché dans la tombe du Confesseur, et avait dormi si longtemps le jour suivant qu'il s'en était fallu de bien peu qu'il ne manquât le couronnement. Il se plaisait à dire que le souvenir de ces événements était pour lui une de ces grandes et précieuses leçons de la vie dont il voulait profiter constamment pour faire le bonheur de son peuple. Il ajoutait qu'il ne cesserait de penser à tout ce qu'il avait souffert et vu souffrir, afin que la pitié fût dans son cœur comme une source qui ne tarit jamais.

Miles Hendon et Tom Canty furent les favoris du roi pendant toute la durée de son court règne, et menèrent quand il mourut un deuil qui ne fut pas feint. Le brave comte de Kent avait trop de bon sens pour abuser de son inhabituel privilège, mais il l'exerça deux autres fois encore avant de quitter ce monde : une fois lors de l'accession à la couronne de la reine Marie, et l'autre fois à l'accession à la couronne de la reine Élisabeth. Un de ses descendants l'exerça lors de l'accession de James 1er. Avant que le fils de ce descendant choisisse d'user de ce privilège, un quart de siècle s'était écoulé, et le «privilège des Kent» s'était effacé de la mémoire de la plupart des gens, si bien que lorsqu'un Kent surgit devant Charles 1er et sa cour et s'assit en présence du souverain afin de bien affirmer et perpétuer le droit de sa maison, il y eut un fameux remue-ménage ! Mais l'affaire fut vite expliquée, et le droit fut confirmé. Le dernier comte de la lignée tomba en combattant pour le roi dans les guerres du Commonwealth. L'étonnant privilège finit avec lui.

Tom Canty vécut jusqu'à un âge très avancé, vieil homme de belle prestance, à barbe blanche, grave et bienveillant. Tant qu'il vécut il fut honoré. On le saluait profondément, car son habillement étrange et remarquable rappelait toujours aux gens qu'il avait en son temps été royal, si bien qu'à son apparition la foule s'écartait, lui faisant place, et se chuchotait réciproquement :

— Ôte ton chapeau, voilà le pupille du Roi !

Sur quoi ils le saluaient, et recevaient en retour son doux sourire – et ils l'appréciaient aussi pour cette autre raison que son histoire ne manquait pas de noblesse.

C'est vrai, le roi Édouard VI ne vécut que peu d'années, le pauvre enfant, mais il les vécut d'une façon qui en valait la peine. Plus d'une fois, lorsque quelque haut dignitaire, quelque vassal de la couronne, présentait des objections contre son indulgence et tentait de le convaincre que cette loi qu'il était enclin à adoucir était bien assez douce pour le but qu'elle servait, ne créait ni souffrance ni sujétion desquelles qui que ce fût dût s'inquiéter, le jeune roi tournait sur lui l'éloquence triste de ses grands yeux pleins de compassion et demandait :

— Mais vous, que savez-vous de la souffrance, de l'oppression ? Mon peuple et moi savons ce que c'est, mais vous, non !

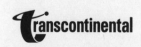

Imprimé au Canada par
Transcontinental Gagné